P9-ART-105

Cómo comunicarse con su ángel de la guarda

Jean-Marc Pelletier

CÓMO COMUNICARSE CON SU ÁNGEL DE LA GUARDA

grijalbo

CÓMO COMUNICARSE CON SU ÁNGEL DE LA GUARDA

Título original en francés: *Comment communiquer avec votre ange gardien*

Traducción: Agustín Bárcena M.
de la edición de
Édimag, Montreal,
Canadá, 1994

ISBN 970-05-0782-3

IMPRESO EN MÉXICO

Índice

Aviso: Ya llegaron los ángeles

Todo el mundo ha oído hablar abundantemente —hace apenas unas semanas que los medios de comunicación ofrecieron la noticia— nada menos que de la mujer que había saltado desde una altura de 3,000 metros en un terreno pantanoso, pues su paracaídas no había funcionado apropiadamente, y que había salido indemne, apenas con unas cuantas equimosis. Por sí misma la noticia es pasmosa, pero en este caso fue todavía más asombrosa porque el padre de esa mujer, llamado Jack McClelland, declaró textualmente: "Ni por un momento he dudado de que ángeles inmensos guiaron su paracaídas hacia la zona pantanosa donde ella llegó a tierra". Nadie se atrevería a dar otra explicación. ¿Cómo explicarse racionalmente que se pueda sobrevivir a una caída de más de 3,000 metros, sin sufrir la menor lesión?

El caso es que no es éste el único relato que pone al descubierto el papel de esta potencia "superior" a la cual podemos llamar los ángeles. Se han aparecido a más de una persona y en todos los casos tuvieron papeles determinantes en ciertos acontecimientos.

Algunos hablan de ello, en tanto que otros prefieren guardar silencio.

Lo cierto es que la mayoría de la gente cree en ello, y con razón, de lo cual estoy persuadido.

Todo lo anterior ha contribuido a poner otra vez sobre el tapete la discusión acerca de la existencia de los ángeles, muy principalmente porque el tema ha vuelto a cobrar actualidad por la publicación en Francia y en Estados Unidos de dos obras que cuestionan su mismísima existencia y que traen a cuento cierto hechos históricos.

Tal entusiasmo por los ángeles de ninguna manera es criticable, y menos por mí, por la sencilla razón de que después de muchos años me he apasionado por la angelología, que no es otra cosa que el estudio de la ciencia de los ángeles. Sucede que no soy el único en cobijar una pasión así por los ángeles, de lo cual tengo la prueba cada vez que doy una conferencia sobre este tema. He hecho indagaciones profundas sobre el

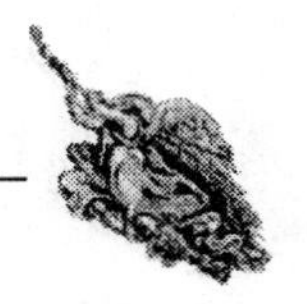

tema por lo que poseo una documentación importante sobre el particular; pero debo admitir que lejos de ser un tema que sólo podría interesar a algunos "buscadores", es una cuestión que apasiona a todo aquel que se interrogue sobre la naturaleza profunda de los seres y de sus motivaciones.

Este libro es diferente a todos los que haya sobre el tema por haber sido escrito para usted, sin duda interesado en el tema, aun cuando nunca quizá, haya soñado en conocer todos los pequeños detalles de la historia de los ángeles, en las religiones y en las leyendas.

Así pues, he popularizado este tema, que es apasionante, ¡usted lo comprobará! y tanto más apasionante porque en él descubrirá una verdadera multitud de informaciones "prácticas" que, de otro modo, le tomaría semanas, si es que no meses, descubrirlas.

Va a encontrar usted aquí toda una nomenclatura de ángeles guardianes, ciertamente encontrará el nombre del propio ángel de usted, y también los nombres de los ángeles que rigen las horas y los días, de ángeles que usted invoca con facilidad. Porque en verdad, sí, los ángeles pueden intervenir de modos diferentes en la propia vida de usted. Para ello, bastará con llamarlos, lo cual es fácil, usted mismo lo constatará. Por si todo esto fuera poco, lo anterior lo explico de un modo en verdad simple.

Dicho en una palabra, después de leer este libro, usted estará en condiciones de comunicarse no nada más con su propio ángel guardián sino con todos los demás ángeles planetarios.

Por todo ello, tal vez cambie su mismísima vida.

JEAN-MARC PELLETIER

Los ángeles: ¿Quiénes son?, ¿de dónde vienen?

Todas las generaciones tienen un mensaje divino
que aportar a la ciudad de los hombres, y cada joven es,
en este sentido, un ángel, aunque sea rebelde o caído.
Lo cierto es que este mensaje rara vez deja
de ser enigma y música, por lo cual casi nunca
fecunda la realidad de la Tierra.

GIOVANNI PAPINI

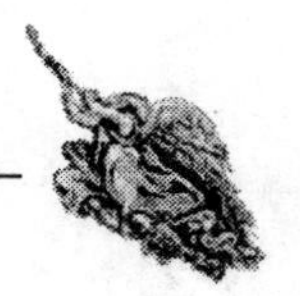

En todas las primeras marcas o huellas del hombre, en las leyendas o en la historia, en los pictogramas, hay siempre figuras de ángeles.

En la villa de Ur, situada en el valle del río Éufrates, a unos 200 kilómetros de Babilonia, construida unos 4,000 años antes de nuestra era, los arqueólogos descubrieron una tablilla de piedra que representa una figura alada descendiendo de uno de los siete paraísos de las creencias sumerias, para verter el agua de la vida, proveniente de una jarra que chorrea, en la copa del Rey. Algunos especialistas en estas cuestiones afirman que se trata de la primera representación conocida de un ángel. Sin embargo, existen precursores, muy principalmente el león alado gigante de la Mesopotamia, o inclusive la pintura de una tumba egipcia que representa una Isis alada envolviendo con sus alas, en el sueño, a

sus adeptos. En Grecia, el arco iris de Zeus, y Hermes, el mensajero divino, son representados igualmente con alas sobre la cabeza y pies, llevando los mensajes a los hombres o proporcionándoles la ayuda que reclaman o necesitan.

Sucede que nuestra cultura judeocristiana no escapa a estas representaciones: por si fuera poco, cabe subrayar que la palabra ángel significa tanto su misión de mensajeros como su esencia profunda. A todos los ángeles se les llama también dios, hijo de Dios, sacerdote, servidor, observador, genio. Pero sea cual fuere el nombre que se les dé, todos ellos constituyen la corte del paraíso; siempre han representado lo que debía ser de alguna manera el ejército celeste.

Vemos pues, que los ángeles existen desde la noche de los tiempos. Existieron antes de que Adán y Eva llegaran a la tierra y exploraran su jardín; y cuando los primeros humanos fueron expulsados del Edén por haber comido la manzana, representación del conocimiento del bien y del mal, los querubines, que son una de los tres órdenes de ángeles cercanos a Dios, tuvieron por misión guardar la barrera del Este: sus espadas de fuego se agitan en todas direcciones para

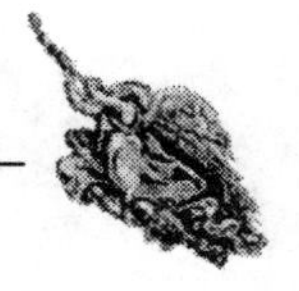

impedir a Adán y Eva regresar a su paraíso. La palabra querubín significa "pleno del conocimiento de Dios"; su origen se remonta a la palabra asiria Karibou que significa "el que ruega" o "el que comunica". En el arte asirio, al querubín se le representa como una criatura alada, con rostro de hombre, a veces de león, y cuerpo de águila, de toro o de esfinge. Desde su "nacimiento" se les describió como los detentadores de la esperanza. Sin embargo, con el paso del tiempo, los querubines se transformaron, merced a la influencia de los romanos, en bebés; los ingleses los llaman "querubes" o "querubines" y se les da una apariencia infantil.

Todo esto nos muestra claramente que han sido representados en todas las épocas y en todas las religiones.

Se evita el sacrificio

En la Biblia, los primeros ángeles eran hombres; eran ya los guías destinados a ayudar a los hombres a cumplir sus tareas.

En el Génesis, tres ángeles ven venir a Abraham. No se les pusieron alas, ni vestimenta brillante, ni halo en la cabeza. Eran tres hombres, de aspecto normal, de andar ordinario que se sentaron bajo las encinas en compañía de Abraham, con quien compartieron una comida compuesta de carne de res, queso y pan. Como dice la leyenda, contrariamente a otros ángeles, ellos "comieron". Según esta misma leyenda, nos enteramos, sin embargo, que en la realidad, uno de los ángeles era Yahvé —el mismísimo Dios— que reveló a Abraham, después de la comida, que su esposa le daría, tiempo después, un hijo cuyos descendientes llegarían a ser el origen de una gran nación. Durante esta "visita", Abraham trataría de negociar, pero sin éxito, la salvación de Sodoma y Gomorra, las cuales fueron destruidas ferozmente por dos ángeles. Fue también un ángel el que detuvo el brazo de Abraham para impedirle que degollara a su hijo Isaac ofreciéndole en el último momento sacrificar un cordero. Todo el mundo conoce la historia: cierto día, después de haber oído la voz de Dios que le ordenaba inmolar a su hijo, Abraham llevó a éste a una montaña lejana para ahí cortarle la garganta y ofrecerlo en sacrificio a Dios, al cual quería mostrar su devoción. Una vez en la montaña, Abraham tomó a su hijo, le ató manos y pies y lo

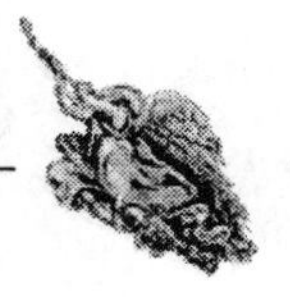

colocó sobre el altar. Casi a punto de cortarle la garganta, lo detuvo la voz de un ángel. Entonces Abraham vio un cordero, atado, el cual ofreció a Dios.

La historia está llena de estos ejemplos.

Los primeros ángeles no tuvieron alas, ni siquiera los de la cultura judaica. Por ejemplo, Jacob, hijo de Isaac, percibió en una visión una escala por la cual subían ángeles, que al descender establecían un lazo o vínculo entre Dios y el mundo terrestre. Esto deja bien en claro que los ángeles no volaban. En realidad, en aquellos remotos días, a los ángeles se les tenía como guías interiores, que se presentaban siempre que se les llamaba —ésta es, por lo demás, la forma en que los ángeles, no importa cuáles, debían ser siempre vistos y percibidos.

Debido a que los ángeles han servido siempre al hombre, lo han defendido invariablemente en sus más terribles batallas. Es así como, en la representación de la ayuda aportada en esos difíciles momentos, los ángeles de Dios se transformaron en entidades vestidas de luz, deslumbradoras y radiantes...

Visiones que han sobrevivido

Las visiones de dos profetas, Isaías y Ezequiel, nos sirven hoy en día para basar nuestro saber sobre los ángeles. Isaías, que vivió entre los siglos VIII y VII antes de Jesucristo, nos ofrece su visión de los Serafines, a los cuales describe como dotados de seis alas; cada par de ellas con una función precisa: dos alas le cubrirán el rostro, otras dos le cubrirán los pies y las dos últimas le servirán para volar. Según las representaciones que nos llegan de la época medieval, los serafines son rojos, con tres pares de alas y una espada de fuego. Doscientos años después de Isaías, el profeta Ezequiel no vio a los Serafines, sino a los Tronos, llamados también "las ruedas de Dios", otra categoría más de ángeles (de la cual nos ocuparemos más adelante en esta obra) en las visiones que tuvieron lugar en el quinto día del cuarto mes del trigésimo año de la cautividad de los judíos en Babilonia, es decir, 560 años antes de Jesucristo.

Según la leyenda, que ha sobrevivido hasta nuestros días, es aquí, sobre la ribera del río Chebar, que se abrió el paraíso: "Todos los cuatro ángeles tenían el rostro de un hombre, tam-

bién con otros tres rostros sobre sus cascos: rostros de un león, de un buey y de un águila. Estos ángeles se desplazaban sobre ruedas de colores azul, verde y aguamarina; cuando estos seres alzaron el vuelo, las ruedas volaron también". Encima de su cabeza, subraya también la descripción, había un género o especie de halo, color de cristal, de modo que muy justo abajo, de cada lado de sus cuerpos, nacían sus alas.

¿Qué son?

Al igual que en la religión católica, en la judaica los ángeles son invocados con frecuencia. Estas historias nombran específicamente a cuatro de ellos: Uriel, Gabriel, Rafael y Miguel. Si Uriel lleva a los hombres la luz del conocimiento de Dios, si es el intérprete de las profecías y el ángel de la retribución, Gabriel, el propio, es el embajador de la humanidad; su nombre significa, por otra parte "el héroe de Dios", y tal es la razón que explica que se le vea como el ángel de la Revelación. Fue él quien constituyó el fuego, el que lleva las buenas nuevas. Miguel es el príncipe de los arcángeles; es el comandante y el

jefe de la armada celeste; su nombre significa, por otra parte, "parecido a Dios": es joven, fuerte, muy bello y en los cuadros del Renacimiento se le representa portando la armadura; tal es sin duda la razón de que se le considere no nada más el protector de la Iglesia católica romana, sino también como el santo patrón de los hebreos. Por lo que hace a Rafael, el príncipe de las Virtudes, su nombre significa el curador divino o "Dios curado".

Podríamos seguir escribiendo abundantemente sobre ángeles y sobre referencias que se encuentran no nada más en las diversas religiones y en las leyendas que sobreviven a lo largo de los siglos, y hasta en ciertas referencias históricas, pero nos damos por satisfechos con estas páginas cuyo principal fin fue demostrar que los ángeles no son un fenómeno nuevo.

Existen.

A lo largo de estas páginas, aprenderemos además a comunicarnos con ellos, a cómo encontrarlos.

Los ángeles y tú

La tierra es al sol,
lo que el hombre es al ángel.

VICTOR HUGO

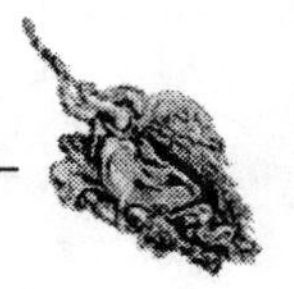

Cristo, el propio Cristo dijo: “Pedid y se os dará”, con lo cual abrió la puerta a la magia directa gracias a la cual basta formular una petición para que las fuerzas superiores se movilicen para dar satisfacción a la persona que haya hecho la petición, y, por el hecho mismo, de la existencia de esta ley que obliga a los grandes a responder positivamente a las demandas de los pequeños.

Los ángeles planetarios, mejor conocidos con el nombre de ángeles guardianes, no escapan a esta regla; por eso no se pueden negar a ayudarnos. Sin embargo, se sobreentiende que para ser satisfechas nuestras demandas, éstas deben rebasar la simple etapa de la propiedad material; por ello no se les pedirá que cambien nuestras máquinas lavaplatos o el mobiliario de nuestra sala o cocina. Por una parte, no conseguiríamos nada y, por otra, ¿es en verdad necesario dirigirse a

una potencia así para obtener consideraciones materiales bajas? Planteemos la cuestión, la petición, y respondamos.

Sin embargo, será igualmente probable que al hacer ciertas demandas más fundamentales, la "respuesta" influya directamente en lo nuestro cotidiano y mejore la calidad de nuestra vida, inclusive material, si bien esto no debe ser un fin en sí. Será necesario cuidar, mirar al espíritu, ya que si llamamos a un ángel, cualquiera que sea, es primordialmente y por sobre todas las cosas porque necesitamos respuestas interiores, internas; porque queremos salir de una situación difícil, salir de un mal paso. En una situación así, no cabe duda alguna de que ningún ángel podrá abandonarnos sin darnos una respuesta positiva, nos responderán siempre. Nunca nos dejarán caer en el gran jamás.

De los llamamientos escuchados

Ésta es la razón que explica que yo sostenga con toda claridad y sin miedo a engañarme, que cuando recurrimos a nuestro ángel guardián y no importa recurrir a otro ángel, podremos estar seguros de ser escuchados, y mejor aun, ayudados.

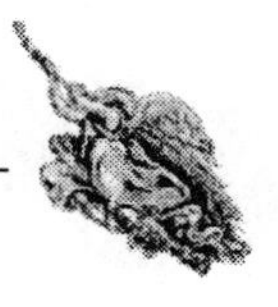

Nuestro ángel guardián es el ángel destinado a nuestro servicio, por cuya razón está "disponible", es "accesible", en todo momento; es parte de los 72 genios, como se llamaba antiguamente a los ángeles. Cada una de estas 72 "potencias" tiene un nombre preciso y un número que le corresponde. En este libro presentaremos más adelante un cuadro exhaustivo que nos permitirá hallar el nombre de nuestro ángel guardián, el cual varía en función de nuestra fecha de nacimiento, así también como el nombre de otros ángeles "disponibles". Constataremos igualmente en otro cuadro que cada ángel tiene un simbolismo y también virtudes particulares que le son propias. Así pues, además de comunicarse usted con su ángel guardián, podrá hacerlo con otros ángeles en función de las demandas o peticiones que usted desee hacer, de los problemas que quiera usted resolver y de las situaciones que quiera usted dejar en claro.

Con esta información, usted podría realizar sin dificultad sus invocaciones o encantamientos; inclusive yo lo liberaría de algunas en particular, si usted prefiere dirigirse a los príncipes de cada una de las Séfiras.

Yo le evitaría a usted zambullirse en explicaciones complejas, aun en el caso de que el tema

lo sea, ya que el objetivo de este libro es, antes que nada, vulgarizarlo, popularizarlo, hacerlo comprensible y, sobre todo, explicarle el modo en que cada uno de nosotros puede entrar en comunicación con los ángeles, lo cual no me impedirá en forma alguna dar a usted ciertas informaciones, las cuales, aun en el caso de no ser esenciales para aprender a dominar esta "comunicación", no por ello son menos útiles para que cualquier persona anhele obrar en función de los objetivos verdaderos tal como deben ser los nuestros.

Sobre este tema hay muchísimos libros, pero el problema radica en que la mayoría de los autores explican los efectos de la acción de los ángeles sobre nuestras vidas —inclusive en lo cotidiano nuestro—, en vez de explicar la forma en que cada uno de nosotros puede sacar provecho de este estrecho lazo que nos une a ellos. Sin embargo, cabe advertir en su descargo que estos autores se dirigen a un público de iniciados que se interesan en el tema después de años y más años. Quién sabe, pero es muy posible que con el tiempo usted mismo se vuelva uno de ellos.

Las "familias", las Potencias

Ángeles puros, ángeles radiantes,
¡llevad mi alma al seno de los cielos!

MICHEL CARRÉ

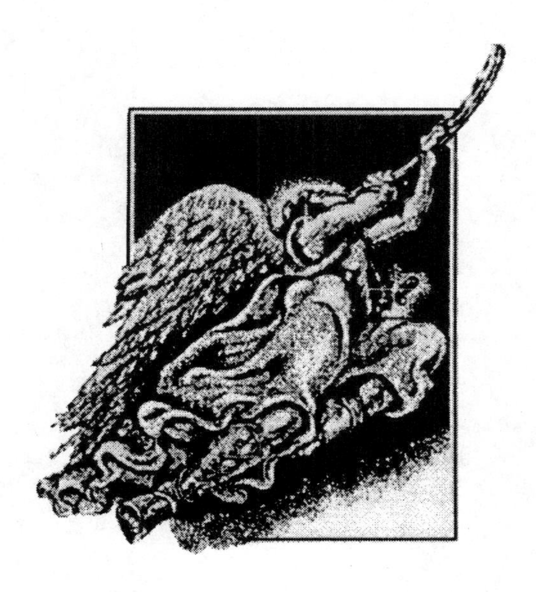

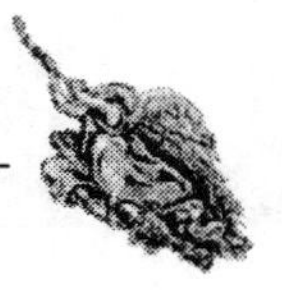

Los ángeles nos vienen por tradiciones religiosas; se cuentan 72 categorías repartidas en nueve coros —podríamos decir con más sencillez, en nueve familias. Estas familias, y sus príncipes, es decir, los ángeles que rigen a cada una de ellas, son los siguientes:

Los Serafines por Metatrón
Los Querubines por Raziel
Los Tronos por Safkiel
Las Dominaciones por Sadkiel
Las Potencias por Camael
Las Virtudes por Rafael
Los Principados por Haniel
Los Arcángeles por Miguel
Los Ángeles por Gabriel

Cada familia, y también cada ángel, tiene, por supuesto, sus particularidades y sus virtudes; nos interesaremos en ellas en función precisamente de peticiones que les vayamos a formular cuando nos dirijamos a ellos.

Con todo, es necesario tener presente que el más poderoso de todos es Metatrón, el príncipe de los Serafines, el cual gobierna globalmente todas las fuerzas de la creación. Por tanto, si queremos recurrir a la fuerza mayor a nivel de los ángeles, nos dirigiremos a Metatrón. Mucho después, cuando echemos una ojeada al árbol de la vida —lo cual le explicaré mucho después en detalle— recalcará usted la posición que sugiere la interrelación de cada corazón, de cada ángel y de cada príncipe. Así pues, cada uno ocupa una posición precisa que se le ha atribuido en función de sus virtudes.

Los ángeles de los días de la semana

Otra cosa que es conveniente abordar, aunque sea someramente —penetrar ahí con más profundidad no nos daría una iluminación mejor y sí correríamos el riesgo de sembrar en nuestro

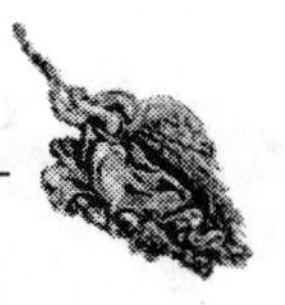

espíritu una cierta confusión— y que yo creo que es importante subrayar, es que además de los ángeles que se llaman nuestros ángeles guardianes, que nos están especialmente dedicados, hay los que en particular rigen cada uno de los días de la semana. Si es Raziel el ángel que domina de modo general la semana, cada día está bajo la protección de los ángeles siguientes:

Rafael - el domingo,
Gabriel - el lunes,
Camael - el martes,
Miguel - el miércoles,
Sadkiel - el jueves,
Haniel - el viernes,
Safkiel - el sábado.

Los ángeles de las horas del día

Podríamos ir un poco más lejos, ya que cada hora de cada día está colocada igualmente bajo el gobierno de un ángel muy preciso. Aquí doy a usted la lista, a título informativo, porque éstos son también los ángeles que se pueden invocar

en momentos muy precisos. En la enumeración siguiente, el momento de partida es la hora 0, es decir, la medianoche:

DOMINGO

0 a 1 hrs. - Rafael
1 a 2 hrs. - Haniel
2 a 3 hrs. - Miguel
3 a 4 hrs. - Gabriel
4 a 5 hrs. - Safkiel
5 a 6 hrs. - Sadkiel
6 a 7 hrs. - Camael
7 a 8 hrs. - Rafael
8 a 9 hrs. - Haniel
9 a 10 hrs. - Miguel
10 a 11 hrs. - Gabriel
11 a 12 hrs. - Safkiel
12 a 13 hrs. - Sadkiel
13 a 14 hrs. - Camael
14 a 15 hrs. - Rafael
15 a 16 hrs. - Haniel
16 a 17 hrs. - Miguel
17 a 18 hrs. - Gabriel
18 a 19 hrs. - Safkiel

19 a 20 hrs. - Sadkiel
20 a 21 hrs. - Camael
21 a 22 hrs. - Rafael
22 a 23 hrs. - Haniel
23 a 0 hrs. - Miguel

LUNES

0 a 1 hrs. - Gabriel
1 a 2 hrs. - Safkiel
2 a 3 hrs. - Sadkiel
3 a 4 hrs. - Camael
4 a 5 hrs. - Rafael
5 a 6 hrs. - Haniel
6 a 7 hrs. - Miguel
7 a 8 hrs. - Gabriel
8 a 9 hrs. - Safkiel
9 a 10 hrs. - Sadkiel
10 a 11 hrs. - Camael
11 a 12 hrs. - Rafael
12 a 13 hrs. - Haniel
13 a 14 hrs. - Miguel
14 a 15 hrs. - Gabriel
15 a 16 hrs. - Safkiel
16 a 17 hrs. - Sadkiel

17 a 18 hrs. - Camael
18 a 19 hrs. - Rafael
19 a 20 hrs. - Haniel
20 a 21 hrs. - Miguel
21 a 22 hrs. - Gabriel
22 a 23 hrs. - Safkiel
23 a 0 hrs. - Sadkiel

MARTES

0 a 1 hrs. - Camael
1 a 2 hrs. - Rafael
2 a 3 hrs. - Haniel
3 a 4 hrs. - Miguel
4 a 5 hrs. - Gabriel
5 a 6 hrs. - Safkiel
6 a 7 hrs. - Sadkiel
7 a 8 hrs. - Camael
8 a 9 hrs. - Rafael
9 a 10 hrs. - Haniel
10 a 11 hrs. - Miguel
11 a 12 hrs. - Gabriel
12 a 13 hrs. - Safkiel
13 a 14 hrs. - Sadkiel
14 a 15 hrs. - Camael

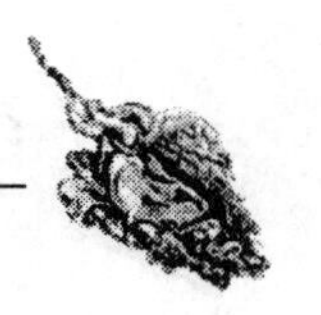

15 a 16 hrs. - Rafael
16 a 17 hrs. - Haniel
17 a 18 hrs. - Miguel
18 a 19 hrs. - Gabriel
19 a 20 hrs. - Safkiel
20 a 21 hrs. - Sadkiel
21 a 22 hrs. - Camael
22 a 23 hrs. - Rafael
23 a 0 hrs. - Haniel

MIÉRCOLES

0 a 1 hrs. - Miguel
1 a 2 hrs. - Gabriel
2 a 3 hrs. - Safkiel
3 a 4 hrs. - Sadkiel
4 a 5 hrs. - Camael
5 a 6 hrs. - Rafael
6 a 7 hrs. - Haniel
7 a 8 hrs. - Miguel
8 a 9 hrs. - Gabriel
9 a 10 hrs. - Safkiel
10 a 11 hrs. - Sadkiel
11 a 12 hrs. - Camael
12 a 13 hrs. - Rafael

13 a 14 hrs. - Haniel
14 a 15 hrs. - Miguel
15 a 16 hrs. - Gabriel
16 a 17 hrs. - Safkiel
17 a 18 hrs. - Sadkiel
18 a 19 hrs. - Camael
19 a 20 hrs. - Rafael
20 a 21 hrs. - Haniel
21 a 22 hrs. - Miguel
22 a 23 hrs. - Gabriel
23 a 0 hrs. - Safkiel

JUEVES

0 a 1 hrs. - Sadkiel
1 a 2 hrs. - Camael
2 a 3 hrs. - Rafael
3 a 4 hrs. - Haniel
4 a 5 hrs. - Miguel
5 a 6 hrs. - Gabriel
6 a 7 hrs. - Safkiel
7 a 8 hrs. - Sadkiel
8 a 9 hrs. - Camael
9 a 10 hrs. - Rafael
10 a 11 hrs. - Haniel

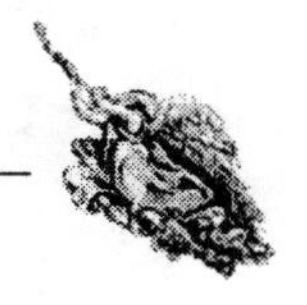

11 a 12 hrs. - Miguel
12 a 13 hrs. - Gabriel
13 a 14 hrs. - Safkiel
14 a 15 hrs. - Sadkiel
15 a 16 hrs. - Camael
16 a 17 hrs. - Rafael
17 a 18 hrs. - Haniel
18 a 19 hrs. - Miguel
19 a 20 hrs. - Gabriel
20 a 21 hrs. - Safkiel
21 a 22 hrs. - Sadkiel
22 a 23 hrs. - Camael
23 a 0 hrs. - Rafael

VIERNES

0 a 1 hrs. - Haniel
1 a 2 hrs. - Miguel
2 a 3 hrs. - Gabriel
3 a 4 hrs. - Safkiel
4 a 5 hrs. - Sadkiel
5 a 6 hrs. - Camael
6 a 7 hrs. - Rafael
7 a 8 hrs. - Haniel
8 a 9 hrs. - Miguel

9 a 10 hrs. - Gabriel
10 a 11 hrs. - Safkiel
11 a 12 hrs. - Sadkiel
12 a 13 hrs. - Camael
13 a 14 hrs. - Rafael
14 a 15 hrs. - Haniel
15 a 16 hrs. - Miguel
16 a 17 hrs. - Gabriel
17 a 18 hrs. - Safkiel
18 a 19 hrs. - Sadkiel
19 a 20 hrs. - Camael
20 a 21 hrs. - Rafael
21 a 22 hrs. - Haniel
22 a 23 hrs. - Miguel
23 a 0 hrs. - Gabriel

SÁBADO

0 a 1 hrs. - Safkiel
1 a 2 hrs. - Sadkiel
2 a 3 hrs. - Camael
3 a 4 hrs. - Rafael
4 a 5 hrs. - Haniel
5 a 6 hrs. - Miguel
6 a 7 hrs. - Gabriel

7 a 8 hrs. - Safkiel
8 a 9 hrs. - Sadkiel
9 a 10 hrs. - Camael
10 a 11 hrs. - Rafael
11 a 12 hrs. - Haniel
12 a 13 hrs. - Miguel
13 a 14 hrs. - Gabriel
14 a 15 hrs. - Safkiel
15 a 16 hrs. - Sadkiel
16 a 17 hrs. - Camael
17 a 18 hrs. - Rafael
18 a 19 hrs. - Haniel
19 a 20 hrs. - Miguel
20 a 21 hrs. - Gabriel
21 a 22 hrs. - Safkiel
22 a 23 hrs. - Sadkiel
23 a 0 hrs. - Camael

De los ángeles "accesibles"

Vemos, pues, que debemos constatar, dejar en claro que además de nuestro ángel guardián, el que nos está vinculado, atraído particularmente —y que en realidad es un alma descarnada que no se reencarna al mismo tiempo que nosotros

en esta vida—, tenemos otros dos ángeles a los que podemos invocar en todo momento, el ángel del día en que estemos y el de la hora; nuestro ángel guardián siempre será el mismo, en tanto que los otros dos cambian según el día de la semana y la hora de la invocación.

Resulta más fácil invocar a estos ángeles, acercarse a ellos de alguna manera, pero esto no nos impedirá invocar aquel ángel cuyas virtudes estén más cerca de nuestras necesidades o de nuestras esperanzas.

Pero independientemente del número de ángeles puestos a nuestra disposición, será necesario no olvidar que ninguno se manifestará, no podrá actuar si no lo invocamos, y sucede que para hacerlo como es debido, debemos llamarlo por su nombre —de ahí la importancia que tiene conocerlo. Encontrará usted su nombre en la lista que aparece en estas páginas, más adelante. Este nombre es sagrado. Su origen se remonta al sánscrito o al hebreo; se trata de lo que se llama un mantra. Pero sucede que el mantra —esta palabra que pronunciamos a repetición y que nos trae calma, tranquilidad y serenidad— puede también ser diferente de la de nuestro ángel guardián o de otro ángel, no importa cual; pue-

de ser simplemente el nombre de una persona que nos hace evocar ese estado de ser. La diferencia entre un mantra cualquiera y el nombre de un ángel, es que el nombre de los ángeles es el que se llama un mantra sagrado, debido a que cada uno de estos nombres, una vez pronunciado, provoca una vibración que suscita una forma de energía positiva.

Inclusive si dijéramos que, para verlos actuar en nuestro beneficio, es necesario invocarlos, siempre será posible que algunos intervengan en ciertas situaciones particulares, sin que se les haya invocado porque estos ángeles rigen el día según la hora en que vivimos y controlan las potencias que pueden intervenir en el desenvolvimiento de los acontecimientos. No solamente estos ángeles pueden intervenir en el desarrollo de los acontecimientos, sino que inclusive puede darse el caso de que se les vea de la misma manera en que se ve un aura, por todo lo cual es muy aconsejable saber diferenciar estas visiones.

Su "jerarquía": El árbol de la vida

Los milagros no son una
contradicción de la naturaleza,
son simplemente una contradicción de lo
que sabemos o pensamos
que es la naturaleza.

SAN AGUSTÍN

Para comprender bien nuestro universo, su jerarquía, su "organización", es necesario, por no decir esencial, conocer y comprender el árbol de la vida, que en ocasiones recibe también el nombre de árbol cabalístico o árbol sefirótico. Para tener una comprensión mejor, en este libro conservaremos el nombre de árbol de la vida.

En verdad, el mismísimo principio de este árbol, presentado de un modo que se pareciera a un árbol genealógico, no por ello sería menos complejo ya que a pesar de la "fuerza" de las familias de ángeles evocadas, nos sigue siendo posible, mientras seamos seres humanos, tomar de unos y otras sin tener en cuenta sus jerarquías. No obstante, para comprender bien todo lo que pertenece al universo y al dominio de los ángeles, es esencial conocer a este respecto

cuando menos los principios de base. Es esto lo que procuraré explicar en las líneas que siguen. Evitaré, sin embargo, entrar en detalles demasiado complejos que sin duda merecen nuestro interés, que no son indispensables para quienes se quieran familiarizar con este tema, pero, muy principalmente, para quienes quieran aprender a comunicarse con los ángeles.

¿Por qué?, ¿qué?, ¿dónde?

Por principio de cuentas, ¿por qué, el árbol de la vida? Se le llama árbol de la vida porque representa los diversos planos que nos equilibran y nos ayudan. Cada uno de estos planos está igualmente vinculado a un planeta que nos da la tendencia a nivel planetario. Si, por ejemplo, tomamos el plano humano, se observará que el décimo plano está relacionado —vinculado, unido— a la Tierra, también llamada el Reino de Malkuth. Como se ve en la ilustración, hay diez planos y el hombre, el ser humano, se reencuentra (se vuelve a encontrar), está en el plano décimo, hasta abajo; la voluntad está en el plano más elevado con el cual nosotros estamos en contacto. So-

EL ÁRBOL CABALÍSTICO O DE LA VIDA

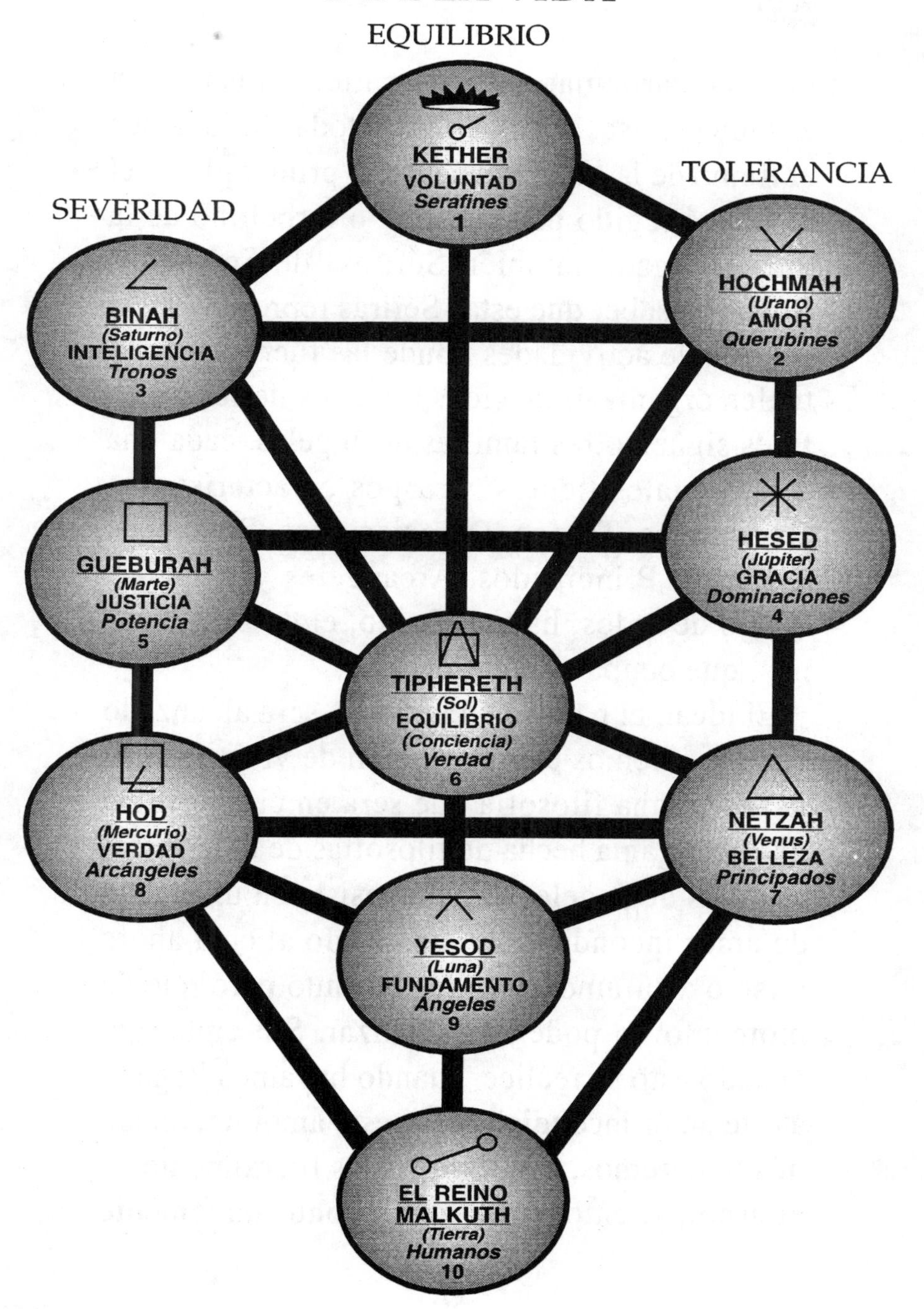
EQUILIBRIO
TOLERANCIA
SEVERIDAD
KETHER
VOLUNTAD
Serafines
1
HOCHMAH
(Urano)
AMOR
Querubines
2
BINAH
(Saturno)
INTELIGENCIA
Tronos
3
HESED
(Júpiter)
GRACIA
Dominaciones
4
GUEBURAH
(Marte)
JUSTICIA
Potencia
5
TIPHERETH
(Sol)
EQUILIBRIO
(Conciencia)
Verdad
6
NETZAH
(Venus)
BELLEZA
Principados
7
HOD
(Mercurio)
VERDAD
Arcángeles
8
YESOD
(Luna)
FUNDAMENTO
Ángeles
9
EL REINO
MALKUTH
(Tierra)
Humanos
10

bre este particular, por otra parte, la ilustración es muy precisa: se advierte con toda claridad que el Reino de la Voluntad ocupa el primer plano, el cual está regido por la esfera o torbellino de la vida (llamado también Séfiras) de Serafines. Bueno es saber que estas Séfiras representan los centros de actividades donde las fuerzas espirituales organizan la Vida. Después de los Serafines siguen otras familias de ángeles, cada una de las cuales tiene sus rasgos característicos. Querubines, Tronos, Dominaciones, Potencias, Virtudes, Principados, Arcángeles y Ángeles. Abajo de todos, hay un Reino, el de los humanos, que ocupa el lugar décimo.

El ideal, el paraíso en la tierra, será alcanzado cuando estemos en disposición de vivir aquí en la tierra, una filosofia que será en cierta forma una amalgama hecha de filosofías de todas estas familias de ángeles y que consiste en un estado de amor incondicional, un estado al cual ahora mismo aspiramos casi de continuo pero que de momento no podemos alcanzar. Sin embargo, cuando esto se realice, cuando hayamos llegado a este amor incondicional, a este amor universal, nos hallaremos, nos fundiremos literalmente en el árbol, y, entonces, algo, incontestablemente

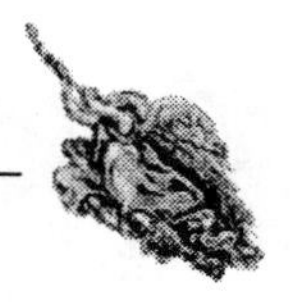

nuevo ocurrirá. Sin embargo, para llegar a este amor incondicional es necesario tener conciencia plena, cobrarla, de que somos humanos y vivimos en la tierra y que debemos trabajar y obrar con las energía que la propia tierra pone a nuestra disposición. Sólo aprovechando, usando plenamente nuestros utensilios o "herramientas", nuestros medios, podremos alcanzar poco a poco nuestro objetivo final.

Los Reinos en los que podemos abrevar

El Reino que tenemos más cerca es el de los ángeles (el plano 9 de la ilustración), el cual está regido por las energías lunares. No hay la menor duda de que estas energías juegan un papel indiscutible en el plano de la emociones y de las intuiciones, aunque por el contrario es muy raro que estas energías tengan una influencia directa importante sobre el plano mental, el plano psicológico o inclusive el plano intelectual. Los ángeles constituyen el reino más cercano a nosotros —son el plano noveno, y nosotros somos el décimo— por cuyo motivo esta etapa constituirá nuestro próximo escalón por trepar para alcanzar

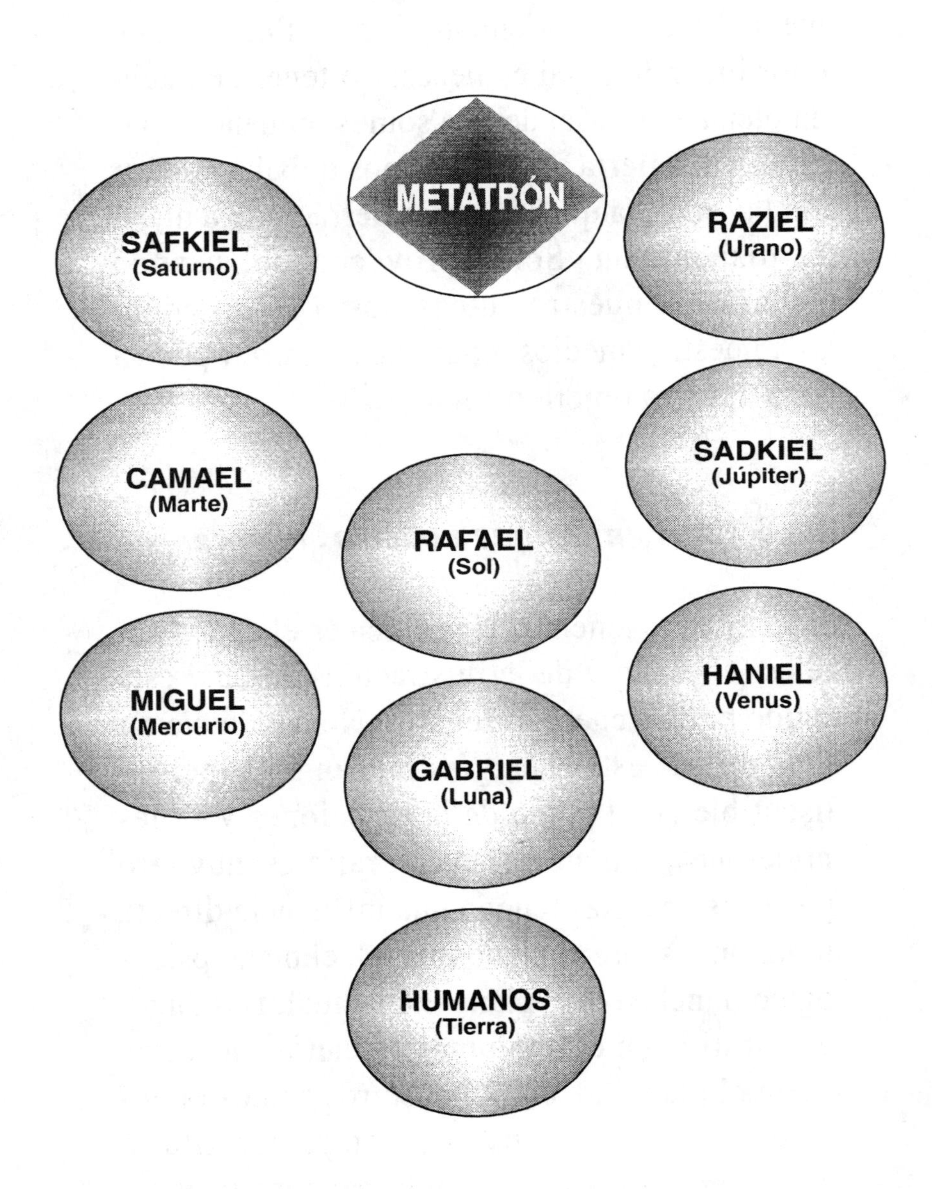
METATRÓN
SAFKIEL
(Saturno)
RAZIEL
(Urano)
CAMAEL
(Marte)
SADKIEL
(Júpiter)
RAFAEL
(Sol)
MIGUEL
(Mercurio)
HANIEL
(Venus)
GABRIEL
(Luna)
HUMANOS
(Tierra)

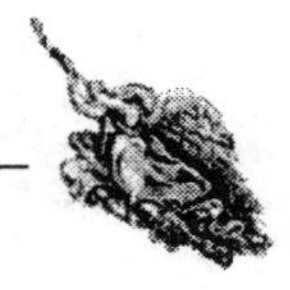

y lograr una transformación radical de lo que somos, seres humanos.

El Reino de los Arcángeles está exactamente sobre el plano de los ángeles —los Arcángeles se hallan en el octavo plano, un plano regido por el planeta Mercurio. Es aquí mismo donde podemos poner toda nuestra inteligencia y más todavía, es pasando por este Reino, por este plano como podremos alcanzar lo que se llama "la verdad por la conciencia integrada". La conciencia "integrada", más avanzada que la conciencia simple, significa que la hemos absorbido bien, que tenemos una conciencia total que nos permite alcanzar un estado de verdad que no podremos conocer mientras seamos simplemente humanos.

Aquí, yo le describiré a usted cada uno de los planos, y, en seguida, explicaré la interacción que existe entre ellos.

Vemos pues, que sobre el séptimo plano volvemos a encontrar los Principados, vinculados al plano de Venus que representa no nada más la belleza, sino también y sobre todo el aspecto femenino del ser humano.

Después de los Principados volvemos a encontrar lo que llamamos "el equilibrio", es decir, aquí, las Virtudes en el plano sexto, las cuales

son regidas por el Sol. Es aquí que nos uniremos al plano de la conciencia, pero aquí también de la conciencia integrada. En seguida vienen las Potencias, en el quinto plano, que están regidas por Marte, que simboliza la acción en todos los aspectos relacionados con la justicia, pero no la justicia humana, más bien la justicia kármica, en otras palabras, la justicia espiritual.

Más arriba, en el árbol de la vida, en el plano cuarto encontramos a las Dominaciones, las cuales son regidas por Júpiter, que representa la naturaleza fundamental, y, en cierto sentido, la gracia del ser humano. Aquí es necesario tener cuidado por la significación de las Dominaciones, sencillamente porque ellas no significan, contrariamente a lo que podría creerse, que ellas nos dominen o que las dominemos nosotros. De hecho, estas Dominaciones representan una jerarquía celeste que nos llevará la gracia por obra de la belleza y del amor incondicional, todo lo cual obviamente nos permitirá desarrollar la tolerancia.

Pasando a un plano superior, el tercero, volvemos a encontrar a los Tronos que rigen la inteligencia, la inteligencia ya dicha e igualmente integrada y regida por Saturno, es decir, una inteligencia más fuerte y más grande que la sola

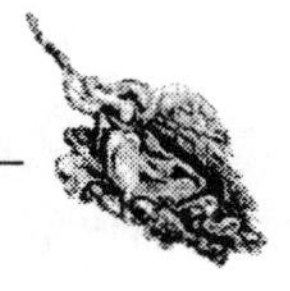

inteligencia que nos viene del plano mental o intelectual. Si nuestra inteligencia no está totalmente integrada, dicho de otro modo, si nuestro plan de conciencia integrada no está de acuerdo con la inteligencia, podrían surgir algunos problemas, principalmente en el plano físico, por obra de "enfermedades", a las que habrá que ver como una fase necesaria y benéfica en el curso de nuestra evolución.

En un plano todavía superior, en el segundo plano, volvemos a encontrar a los Querubines que son regidos por Urano, planeta que nos permite con frecuencia reunir o alcanzar la esencia de las cosas, es decir, de las cosas ocultas, escondidas. Obviamente, dado que nosotros evocamos el nombre de los Querubines los imaginamos indefectiblemente como ángeles pequeños armados con flechitas cuyas puntas tienen formas de corazón, lo cual es perfectamente comprensible, ya que desde tiempo inmemorial, los Querubines ayudan a las personas a experimentar el amor.

Para quedar más arriba de los Querubines es indispensable pasar al primer plano, el de la voluntad total representado por los Serafines, los cuales a su vez son regidos por el conjunto de planetas de nuestro sistema solar, de nuestro universo.

¿Por qué comunicarnos con los ángeles?

Nosotros abrigamos un ángel con el que sin cesar chocamos. Debemos ser los guardianes de este ángel.

JEAN COCTEAU

A final de cuentas, todos estos ángeles no son otra cosa que el simbolismo de etapas diferentes que vamos a descubrir, a alcanzar y a vivir para tomar el camino de la verdad. En cada una de estas "etapas", acumulamos algo así como un bagaje que nos permite o nos permitirá sentar las bases mismas de nuestro futuro, del devenir de nuestro ser. Es indispensable establecer esta base, estos cimientos para descubrir la belleza de la vida y para alcanzar la verdad. Sin embargo, la primera o una de las primeras cosas que hay que hacer para alcanzar la verdad, es lograr alcanzar la conciencia equilibrada, la cual en sí es, como su propio nombre lo indica, un estado de equilibrio. Cuando hayamos alcanzado este equilibrio, podremos encaminarnos a buscar la gracia y la justicia que nos conducirán al nivel de las Potencias y de nuestras propias Domina-

ciones; cuando estemos en perfecto equilibrio ante nosotros mismos, podremos reunir, juntar la justicia y la gracia, pero sobre todo, la gracia en la justicia.

Esto es algo que no debemos olvidar.

Estas explicaciones, y las que vienen en seguida, tal vez vos parezcan complejas y muy probablemente se nos dificulte asimilarlas después de una primera lectura. No debe extrañarnos, se trata de algo perfectamente normal. Lea y vuelva a leer, y entonces, poco a poco, se familiarizará usted con estos conocimientos. Sin embargo, recalco, se trata de algo que no es indispensable para aprender a comunicarnos con nuestro ángel guardián, pero es necesario admitir, comprender que cuando captemos toda esta cuestión de conciencia integrada y de equilibrio, nos resultará más fácil hacerlo.

Prosigamos pues con estas explicaciones un poco complicadas, lo admito, pero también repito que si el lector lo prefiere puede pasar de inmediato a la sección siguiente a reserva de volver más tarde sobre todo esto.

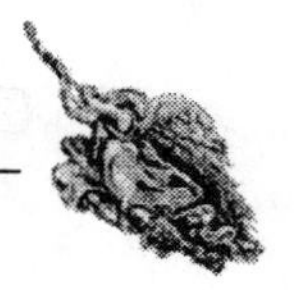

La búsqueda de la verdad

Hablamos de equilibrio. Cuando estamos en equilibrio perfecto y cuando hemos alcanzado la gracia y la justicia, en ese momento descubrimos el amor, pero el amor asociado estrechamente con la inteligencia, en el sentido de que no es ni nuestro intelecto ni nuestro corazón que quieren, uno u otro regir, sino más bien son los dos los que actúan en una asociación o complicidad perfecta, en una simbiosis perfecta. He aquí lo que en verdad es el amor inteligente, el que nos llevará hacia la voluntad total.

No hay duda de que el ideal sería que todo se pasara con facilidad, sin que debamos actuar, sino más bien buscar. Lo malo es que —según lo sabemos todos— las cosas no ocurren así.

Así pues, la condición *sine qua non* para avanzar, para evolucionar, no es otra cosa que el querer, el buscar la verdad. La verdad es siempre bella, siempre simple; tal cosa tenemos que guardarla en nuestra cabeza, nunca perderla de vista. Todo aquel que busque la verdad sin tomar en cuenta la belleza de las cosas jamás podrá estar en equilibrio perfecto ni gozará de una conciencia integrada. Y si es necesario que seamos

capaces de apreciar la belleza exterior de las cosas, será igualmente necesario que podamos apreciar la belleza interior de la gente, de la naturaleza, en una palabra, de todo lo que nos rodea.

Así pues, sólo cuando hayamos alcanzado la verdad en la belleza, cuando nuestras bases y nuestros fundamentos sean sólidos podremos contemplar la conciencia integrada y un primer estado de equilibrio. A partir de este momento tendremos acceso a una parte de la verdad —no de la verdad total ya que este estado forma parte de otro plan— pero ahora podremos empezar a vivir con un cierto equilibrio interno, y a nuestro alrededor. Podremos mirar, tocar, saludar, dar gracias en el sentido más noble del término, por todo aquello que hagamos y todo aquello que nos rodee, del mismo modo que despertamos todas las mañanas para aprovechar, para disfrutar de un nuevo día, y desear que un sol radiante ilumine nuestra jornada, que nos escudemos bajo un claro de luna brillante, que tengamos alguien con quien compartir nuestra vida. Hay muchísimas cosas bellas así de sencillas que tenemos y damos por adquiridas, que no las apreciamos y que no sabemos aprovechar. Se hace

necesario hacer un alto. ¿Cuántas personas, ¡ay!, son despojadas y con toda justicia sufren por ello?

Igualmente, de esta manera podremos conseguir un cierto poderío interior cobrando conciencia del poder de nuestro ser, de nuestra potencialidad. Somos seres humanos, cierto, pero también somos seres en devenir, en perfeccionamiento. Somos seres humanos cuyo objetivo último es alcanzar finalmente la perfección.

El camino que es forzoso recorrer

Nos es preciso, necesario, desenvolvernos a la vez que en el plano intelectual, en el plano del amor incondicional. Ninguno de los cuales debe cobrar firmeza en detrimento del otro puesto que sólo si ambos se funden y entremezclan por completo alcanzaremos un equilibrio tal que finalmente podamos amarnos a nosotros mismos para estar en situación de amar más y mejor a los demás.

Cierto, es necesario desarrollar el conocimiento y el amor de uno mismo.

Y también, para la mayoría de la gente resulta mucho más fácil amar a los demás, mostrarse

generoso, hacer lo que sea, no importa qué, por otro, que amarse, darse, hacer cualquier cosa por y para sí mismo. Sería necesario verse todas las mañanas al espejo para decir a nuestra imagen: "Te amo". Solamente actuando así alcanzaremos, acopiaremos la voluntad. Cierto es que podemos "saltar" etapas; alcanzar con bastante rapidez una cierta forma de equilibrio gracias a nuestra experiencia, y creer, de golpe, que hemos alcanzado la voluntad porque tenemos la voluntad de avanzar, la voluntad de movernos, de desplazarnos. O bien, nada ocurrirá, puesto que de las primeras pruebas, de los primeros encuentros, no pudimos ni siquiera comprender la realidad que debemos vivir, las batallas que debemos manejar, librar; comprender que el equilibrio es una cosa que debe reponerse, rehabilitarse constantemente, ponerse "a la orden del día" para que así podamos experimentar, disfrutar de un poco más de justicia, un poco más de belleza y un poco más de verdad a nuestro alrededor.

Así pues, el fin, el objetivo es alcanzar el equilibrio, sí, pero se trata de un equilibrio renovado sin cesar.

Toda esta búsqueda a la cual nos entregamos, toda esta realidad está representada justa-

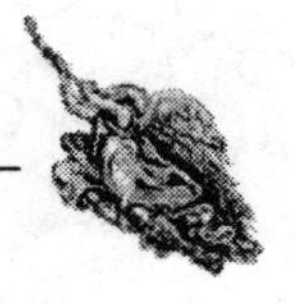

mente en el árbol de la vida; todas las etapas ahí están y, como seres humanos, podemos dar por sentadas ciertas cualidades y ciertas fuerzas de diferentes planos —inclusive de planos elevados. Las personas interesadas estrictamente en el plano material, por ejemplo, evolucionarán del plan diez y pasarán a los planos siete, cuatro y dos —todo lo cual les permitirá desarrollar la belleza, la gracia en el amor. Otros, por el contrario partirán del plano diez —el plano que por lo demás es el plano de partida de todos— y pasarán a los planos ocho, cinco y tres —propios de gente enamorada de la justicia, pero también de gente muy adelantada en el plano intelectual. Es cierto que alcanzan planos superiores, pero ello no indica tajantemente que hayan alcanzado el equilibrio necesario puesto que aspectos particulares predominan sobre los demás. O bien, el objetivo fundamental no es otro que llegar a una armonía perfecta entre todos los planos. Por consiguiente, es necesario no olvidar nunca que es importante asimilar las fuerzas de cada uno de estos planos para fundirlas en seguida en una sola realidad.

Y nosotros, ¿en lo interior?

Unas palabras, para concluir, en relación con la ilustración que representa la jerarquía celeste. Cada una estará en situación de constatar que cada uno de los planos del árbol de la vida está vinculado a un Séfiras, el cual está regido por un ángel-príncipe y al cual se relacionan otros ocho ángeles, cada uno de los cuales tiene una función definida.

Nosotros, como habitantes de la Tierra, nos hallamos en el plano 10; el plano 9, el de los Ángeles, está vinculado a Gabriel, el cual está regido por la Luna; el plano 8, el de los Arcángeles, está regido por Miguel bajo el planeta Mercurio; el plano 7, el de los Principados, está vinculado a Haniel, el cual está regido por el planeta Venus; el plano 6, el de las Virtudes, está vinculado a Rafael, el cual está regido por el Sol; el plano 5, el de las Potencias, está vinculdo a Camael, el cual está regido por el planeta Marte; el plano 4, el de las Dominaciones, está vinculado a Sadkiel, el cual está regido por el planeta Júpiter; el plano 3, el de los Tronos está vinculado a Safkiel, el cual está regido por el planeta Saturno; el plano 2, el de los Querubi-

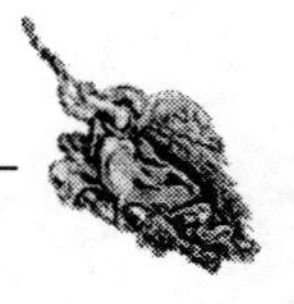

nes, está vinculado a Raziel, el cual está regido por el planeta Urano; y, en todo lo alto, en el plano 1, el de los Serafines, cuyo príncipe ángel es igualmente el príncipe de todos los otros ángeles —a quien ha de dirigirse una petición muy particular—, Metratón.

Nuestro ángel guardián y los otros ángeles a quienes podremos recurrir

Las cosas pequeñas no se parecen a nada, pero nos dan la paz. En cada cosa pequeña hay un ángel.

GEORGES BERNANOS

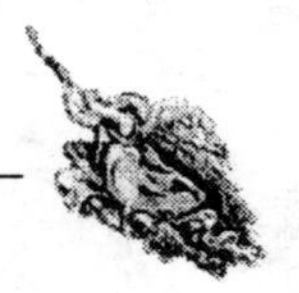

Son los ángeles planetarios, pero también se les designa muy comúnmente con el nombre de ángeles guardianes. En realidad son ángeles designados, encargados de dar servicio a los hombres; difieren de un modo natural según nuestra fecha de nacimiento.

Determine quién es el que vela especialmente por usted y repase las páginas siguientes para hallar qué simboliza y qué puede aportarle a usted cuando entre en comunicación con él.

Nombre	*Está al servicio de las personas nacidas:*
1 Vehuiah	del 21 al 25 de marzo
2 Jeliel	del 26 al 31 de marzo
3 Sitael	del 31 de marzo al 5 de abril

4	Elemiah	del 5 al 10 de abril
5	Mahasiah	del 10 al 15 de abril
6	Lelahel	del 15 al 20 de abril
7	Achaiah	del 20 al 25 de abril
8	Cahetel	del 25 al 30 de abril
9	Haziel	del 30 de abril al 5 de mayo
10	Aladiah	del 5 al 11 de mayo
11	Lauviah	del 11 al 16 de mayo
12	Hahaiah	del 16 al 21 de mayo
13	Yezalel	del 21 al 26 de mayo
14	Mebahel	del 26 al 31 de mayo
15	Hariel	del 31 de mayo al 6 de junio
16	Hekamiah	del 6 al 11 de junio
17	Lauviah	del 11 al 16 de junio
18	Caliel	del 16 al 21 de junio
19	Leuviah	del 21 al 27 de junio
20	Pahaliah	del 27 de junio al 2 de julio
21	Nelchael	del 2 al 7 de julio
22	Yeiayel	del 7 al 12 de julio
23	Melahel	del 12 al 18 de julio
24	Haheuiah	del 18 al 23 de julio
25	Nith-Haiah	del 23 al 28 de julio
26	Haaiah	del 28 de julio al 2 de agosto
27	Yerathel	del 2 al 7 de agosto
28	Seheiah	del 7 al 13 de agosto
29	Reiyiel	del 13 al 18 de agosto

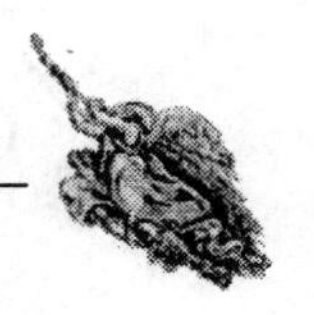

30 Omael	del 18 al 23 de agosto
31 Lecabel	del 23 al 28 de agosto
32 Vasariah	del 28 de agosto al 2 de septiembre
33 Yehuiah	del 2 al 8 de septiembre
34 Lehahiah	del 8 al 13 de septiembre
35 Chavakhiah	del 13 al 18 de septiembre
36 Menadel	del 18 al 23 de septiembre
37 Aniel	del 23 al 28 de septiembre
38 Haamiah	del 28 de septiembre al 3 de octubre
39 Rehael	del 3 al 8 de octubre
40 Ieiazel	del 8 al 13 de octubre
41 Hahahel	del 13 al 18 de octubre
42 Mikhael	del 18 al 23 de octubre
43 Veuliah	del 23 al 28 de octubre
44 Yelahiah	del 28 de octubre al 2 de noviembre
45 Sealiah	del 2 al 7 de noviembre
46 Ariel	del 7 al 12 de noviembre
47 Asaliah	del 12 al 17 de noviembre
48 Mihael	del 17 al 22 de noviembre
49 Vehuel	del 22 al 27 de noviembre
50 Daniel	del 27 de noviembre al 2 de diciembre
51 Hahasiah	del 2 al 7 de diciembre

52 Imamiah	del 7 al 12 de diciembre
53 Nanael	del 12 al 17 de diciembre
54 Nithael	del 17 al 22 de diciembre
55 Mebahiah	del 22 al 27 de diciembre
56 Poyel	del 27 de al 31 de diciembre
57 Nemamiah	del 31 de diciembre al 5 de enero
58 Yeialel	del 5 al 10 de enero
59 Harahel	del 10 al 15 de enero
60 Mitzrael	del 15 al 20 de enero
61 Umabel	del 20 al 25 de enero
62 Iah-Hel	del 25 al 30 de enero
63 Anauel	del 30 de enero al 4 de febrero
64 Mehiel	del 4 al 9 de febrero
65 Damabiah	del 9 al 14 de febrero
66 Manakel	del 14 al 19 de febrero
67 Eyael	del 19 al 24 de febrero
68 Habuhiah	del 24 de febrero al 1 de marzo
69 Rochel	del 1 al 6 de marzo
70 Jabamiah	del 6 al 11 de marzo
71 Haiaiel	del 11 al 16 de marzo
72 Mumiah	del 16 al 21 de marzo

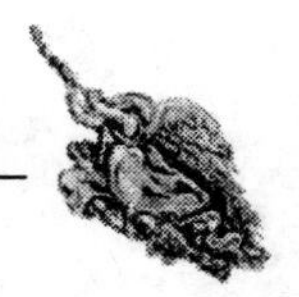

¿Qué simbolizan y qué nos traen?

Aquí presentamos a cada ángel dentro de su categoría, en la cual se reconoce al ángel-príncipe que los domina. Una vez que haya usted encontrado a su ángel guardián, le bastará leer el párrafo que se le dedica para conocer, por una parte, su simbolismo y, por otra, lo que puede aportarle a usted.

LOS SERAFINES

Planeta: Neptuno
Príncipe: Metatrón
1 — Vehuiah
2 — Jeliel
3 — Sitael
4 — Elemiah
5 — Mahasiah
6 — Lelahel
7 — Achaiah
8 — Cahetel

¿Qué son,
qué nos traen?

VEHUIAH
Simboliza la transformación.
Concede:
* Voluntad poderosa para crear y
para transformar.
* Ser el número uno en cualquier dominio.
* Prontitud de razonamiento.
* Lucidez frente a sí mismo.

JELIEL
Simboliza la fecundidad y la fidelidad.
Concede:
* Fecundidad a personas, animales y plantas.
* Restablecimiento de la paz conyugal y
de la fidelidad.
* Fidelidad a las autoridades.

SITAEL
Simboliza la responsabilidad.
Concede:
* Acceso a empleos importantes,
a grandes responsabilidades.
* Valor ante la adversidad.

* Protección contra las armas y
las potencias del mal.

ELEMIAH

Simboliza el éxito y la protección.
Concede:
* Exito profesional.
* Evitar problemas profesionales.
* Protección durante viajes.
* Evitar accidentes.
* Paz interior a personas atormentadas,
angustiadas.

MAHASIAH

Simboliza la paz y la armonía.
Concede:
* Vivir en paz con todo el mundo.
* Conocimientos de creencias elevadas y
artes liberales.
* Facilidad para aprender. Exito en exámenes.

LELAHEL

Simboliza la salud y la curación.
Concede:
* Salud; curación pronta de enfermedades.
* Iluminación espiritual.

* Ser renombrado, tener fortuna en el mundo de las ciencias y de las artes.

ACHAIAH

Simboliza la comprensión y la fe.

Concede:

* Comprensión.
* Paciencia en momentos difíciles.
* Descubrimientos relacionados con los secretos de la Naturaleza.
* Descubrimiento del sentido de la Vida.
* Redescubrimiento de la Fe.

CAHETEL

Simboliza la cosecha y la bendición.

Concede:

* Bendición divina.
* Alejamiento de malos espíritus.
* Éxito en la agricultura. Cosechas abundantes.
* Gran elevación para comprender la Obra divina.

LOS QUERUBINES

Planeta: Urano

Príncipe: Raziel

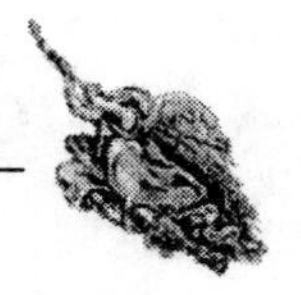

9 — Haziel
10 — Aladiah
11 — Lauviah
12 — Hahaiah
13 — Yezalel
14 — Mebajel
15 — Hariel
16 — Hekamiah

**¿Qué son,
qué nos traen?**

HAZIEL

Simboliza el perdón y el amor incondicional.
Concede:
* Perdón total de todas las faltas
(misericordia divina).
* La amistad y el afecto de gentes importantes.
* Cumplimiento de todas las promesas.

ALADIAH

Simboliza la tolerancia y
la claridad del espíritu.
Concede:
* Regeneración moral.

* Curación de enfermedades.
* Inspiración excelente para llevar a término una empresa.
* Perdón de malos actos.

LAUVIAH

Simboliza la sabiduría y el poder.

Concede:

* Sapiencia muy grande y muy útil.
* El poder justo.
* (Se puede orar por los gobernantes.)
* Protección contra desastres naturales y personales.

HAHAIIAH

Simboliza la revelación y la protección.

Concede:

* Poder de interpretar los sueños.
* Protección contra la adversidad.
* Revelación de la personalidad interior.

YEZALEL

Simboliza la reconciliación.

Concede:

* Fidelidad conyugal.
* Reconciliación de esposos.

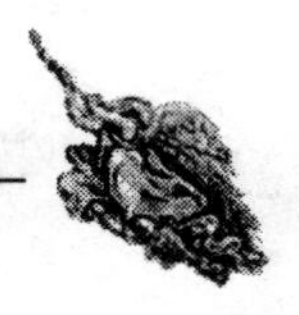

* Memoria poderosa y feliz.
* Habilidad en la realización de cualquier tarea.

MEBAHEL

Simboliza la rectitud y la justicia.

Concede:

* Justicia benevolente y comprensiva.
* Liberación de prisioneros, de los oprimidos, de los inocentes.
* Pasión por la Justicia; celebridad en el ejercicio del Derecho.

HARIEL

Simboliza la fe y la liberación.

Concede:

* La fe; el retorno a la fe. Volverse creyente.
* Liberación de malos hábitos; eliminación del vicio.
* Inspiración en el trabajo; descubrimiento de métodos útiles.

HAKAMIAH

Simboliza la gracia y la amistad.

Concede:

* Protección a las personas de altos rangos.

* Obtención de la gracia y de la amistad de importantes personalidades.
* Lealtad de quienes nos rodean.

LOS TRONOS

Planeta: Saturno
Príncipe: Safkiel
17 — Lauviah
18 — Caliel
19 — Leuviah
20 — Pahaliah
21 — Nelchael
22 — Yeiayel
23 — Melahel
24 — Haheuiah

¿Qué son, qué nos traen?

Lauviah

Simboliza la premonición y el retorno.

Concede:

* Retorno de afecto; reanudación de viejas amistades.

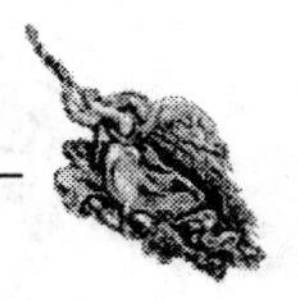

* Vencer el insomnio; buen descanso nocturno; buena recuperación.
* Sueños premonitorios; revelaciones durante los sueños.

CALIEL

Simboliza la verdad y la justicia.

Concede:

* Ser ayudado con presteza en la adversidad.
* Victoria de la verdad ante la Justicia humana.
* Denuncia, rechazo de falsos testimonios y de calumniadores.

LEUVIAH

Simboliza el soltar la presa y la bendición.

Concede:

* La gracia y la bendición de la Providencia.
* Recuperación de la buena memoria;
* Recuerdos, regalos útiles.
* Rebasar la adversidad por medio de la resignación.

PAHALIAH

Simboliza la vocación.

Concede:

* Descubrimiento y comprensión de las Leyes del mundo.

* La castidad.
* Comprensión de nuestra utilidad en el mundo.
* Despertar a la espiritualidad.
* Vocación religiosa.

NELCHAEL

Simboliza la victoria y la liberación.

Concede:

* Victoria absoluta sobre las fuerzas del mal.
* Liberación de una situación de opresión, de inquietud.
* Entendimiento rápido de las matemáticas.

YEIAYEL

Simboliza el respeto y la buena fama.

Concede:

* Renombre, oportunidad, buena fortuna, respeto de los demás.
* Protección contra los naufragios (tanto reales como figurados).
* Ayuda eficaz a los comerciantes que anhelan progresar.

MELAHEL

Simboliza la protección y la curación.

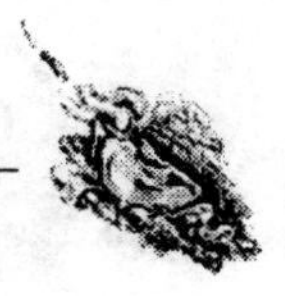

Concede:
* Protección contra las armas de fuego y los atentados.
* Curación por obra de plantas medicinales (infusiones, tisanas).
* La lluvia.
* La fecundidad de tierras.

HAHEUIAH

Simboliza la protección.

Concede:
* Protección providencial a exiliados y fugitivos.
* Los crímenes secretos no serán descubiertos (Dios juzgará).
* Protección contra los animales dañinos.

LAS DOMINACIONES

Planeta: Júpiter
Príncipe: Sadkiel
25 — Nith-Haiah
26 — Haaiah
27 — Yerael
28 — Seheiah

29 — Reiyel
30 — Omael
31 — Lecabel
32 — Vasariah

¿Qué son, qué nos traen?

NITH-HAIAH

Simboliza la sabiduría y la comprensión.
Concede:
* Sabiduría y el privilegio de comprender el esoterismo.
* Sueños premonitorios (sobre todo cuando invocan la tarde).
* Juegos de deshechizamiento.
* Cacería del mal.

HAAIAH

Simboliza la verdad.
Concede:
* Ganar un proceso.
* Benevolencia de los jueces.
* Protección en la búsqueda de la verdad.
* Capacidad de contemplar las "cosas" divinas.

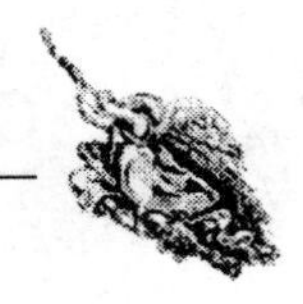

YERATEL

Simboliza la misión y la protección.
Concede:
* Victoria sobre los calumniadores,
los malos enemigos.
* Protección contra quienes nos agreden.
* La misión de propagar la Luz,
la Civilización.

SEHEIAH

Simboliza la longevidad.
Concede:
* Protección contra incendios,
catástrofe, caída...
* Protección contra todo accidente.
* Vida larga y feliz, plena de armonía.

REIYEL

Simboliza la inspiración y la liberación.
Concede:
* Liberación de enemigos visibles e invisibles.
* Liberación de hechizos, maleficios,
mal de ojo, sortilegios...
* Inspiración celeste en ruegos, alocuciones,
discursos, razonamientos.

Omael

Simboliza la paciencia y la fecundidad.

Concede:

* Paciencia, ante todas las situaciones
de la vida.
* Posibilidad de tener hijos:
partos fáciles.
* Posibilidad de dar la vida a un alma elevada.

Lecabel

Simboliza la iluminación y la gloria.

Concede:

* Cosechas excelentes.
* Dominio de la agricultura.
* Ideas oportunas y luminosas para
resolver dificultades.
* Gloria y fortuna gracias al talento natural.

Vasariah

Simboliza escuchar y dar apoyo.

Concede:

* Protección inmediata contra
quienes nos agreden.
* Ayuda proveniente del poder más alto.
* Benevolencia y apoyo de parte de
magistrados poderosos, influyentes.

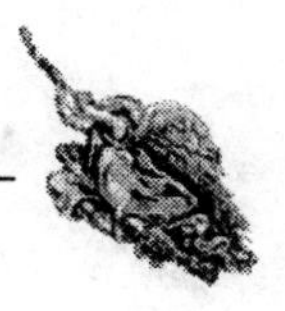

LAS POTENCIAS

Planeta: Marte
Príncipe: Camael
33 — Yehuiah
34 — Lehahian
35 — Chavakhiah
36 — Menadel
37 — Aniel
38 — Hammiah
39 — Rehael
40 — Yeiazel

¿Qué son, qué nos traen?

YEHUIAH

Simboliza la protección superior.

Concede:

* Protección contra toda maniobra hostil.
* Protección contra las trampas de los malvados.
* Obediencia de nuestros subordinados (sobre todo en el trabajo).

LEHAHIAH

Simboliza la calma y la oportunidad.

Concede:

* Calma la cólera (la nuestra y la de los demás).

* Comprehensión de la obra divina (las leyes divinas).

* Suerte espectacular.

* Condecoraciones, grandes premios...

CHAVAKHIAH

Simboliza el perdón y la armonía.

Concede:

* Perdón de quienes hemos ofendido.

* Acuerdos amigables relacionados con herencias.

* Paz y armonía en familia, y entre las familias.

MENADEL

Simboliza la liberación.

Concede:

* Conservación del empleo.

* Aumento del salario.

* Protección contra la murmuración.

* Liberación de malos hábitos que nos esclavizan, que nos dominan.

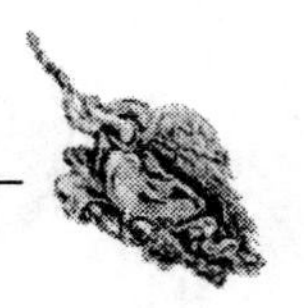

ANIEL

Simboliza el valor y la inspiración Divinas.

Concede:

* Superar cualesquier dificultades de la vida.
* Celebridad por conocer secretos de la naturaleza.
* Inspiración para el estudio de las leyes del universo.

HAAMIAH

Simboliza la voz y la verdad.

Concede:

* Comprensión del ritual de todos los cultos.
* Adquisición de tesoros en la tierra y en el cielo.
* Protección para la búsqueda y difusión de la verdad.

REHAEL

Simboliza el discernimiento y lo escucha.

Concede:

* Curación de enfermedades, y misericordia divina.
* Amor, respeto y buen entendimiento entre padres e hijos.
* Obediencia de los inferiores ante los superiores.

YEIAZEL

Simboliza la inspiración y la ayuda.

Concede:

* La inspiración a las criaturas.
* Libertad para los presos.
* Desaparición de enemigos.
* Consuelo en el dolor.

LAS VIRTUDES

Planeta: Sol
Príncipe: Rafael
41 — Hahahel
42 — Mikhael
43 — Veuliah
44 — Yelahiah
45 — Sealiah
46 — Ariel
47 — Asaliah
48 — Mihael

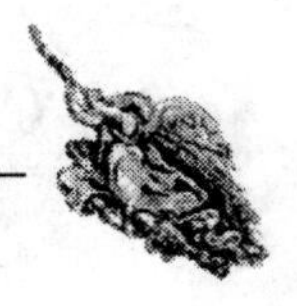

**¿Qué son,
qué nos traen?**

HAHAHEL

Simboliza la vocación y la fe.
Concede:
* Reforzamiento de la fe.
* Inspiración en las conversaciones y prácticas religiosas, sermones.
* Vocación para misiones religiosas.

MIKHAEL

Simboliza el discernimiento y la felicidad.
Concede:
* Viajes felices
(invocarlo a la víspera de la despedida).
* Oportunidad en política
(ganar las elecciones).
* Mucha listeza y diplomacia para tener éxito.

VEULIAH

Simboliza la prosperidad.
Concede:
* Liberación de una inquietud, de una opresión.
* Prosperidad de empresas
(favorable a los empresarios).
* Nos fortalece cuando cancelamos.

Yelahiah

Simboliza la protección física,
la tolerancia y la paciencia.

Concede:

* Protección de los magistrados.
* Ganancia del proceso.
* Protección contra ladrones y agresores.
* Valor en los momentos difíciles, en la adversidad.

Sealiah

Simboliza el éxito y la salud.

Concede:

* Confundir a los malos, a los malvados, a los vanidosos.
* Exito de los humildes, elevación de gente modesta.
* Salud: plenitud de vida a los humanos y a los animales.

Ariel

Simboliza alcanzar los ideales.

Concede:

* Descubrimiento de tesoros escondidos y secretos de la naturaleza.
* Sueños que invitan a realizaciones.

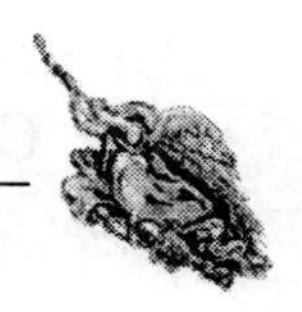

* Ideas nuevas.
* Pensamientos elevados que aportan soluciones.

ASALIAH

Simboliza la verdad y la contemplación.
Concede:
* Posibilidad de elevarse hacia la Luz divina.
* Conocimiento de la verdad, en nosotros y alrededor de nosotros.
* Contemplación de la mecánica divina, celeste y terrestre.

MIHAEL

Simboliza la premonición y el amor.
Concede:
* Paz, amor, amistad y fidelidad en las parejas.
* Presentimientos, premoniciones, buenos presagios en puerta.
* Relaciones sexuales fecundas, según todos los puntos de vista.

LOS PRINCIPADOS

Planeta: Venus
Príncipe: Haniel

49 — Vehuel
50 — Daniel
51 — Hahasiah
52 — Imamiah
53 — Nanael
54 — Nithael
55 — Mebahian
56 — Poyel

¿Qué son, qué nos traen?

VEHUEL

Simboliza la fama y la generosidad.

Concede:

* Amor de Dios, exaltación hacia Él.
* Gracia renombrada a nuestras virtudes y a nuestros talentos.
* Estima muy grande debida a nuestra generosidad.
* Bondad.

DANIEL

Simboliza el olvido y la gracia.

Concede:

* Remedio a todos nuestros males.

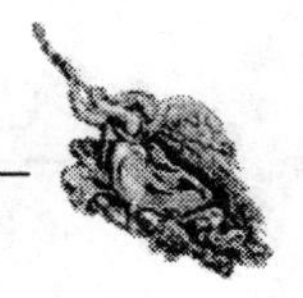

* Consolación providencial.
* Perdón de los pecados, olvido de las injurias.
* Rejuvenecer, recuperar gracia y belleza.

HAHASIAH

Simboliza la vocación y la sabiduría.

Concede:

* Sabiduría.
* Elevación del alma a las cosas del espíritu.
* Vocación por la medicina.
* Descubrimientos importantes.
* Ve que le confieran misiones redentoras.

IMAMIAH

Simboliza la protección y el respeto.

Concede:

* Conocer, respetar y amar a nuestros enemigos.
* Protección en los desplazamientos, en los viajes.
* Protección de prisioneros; medios de ser liberados.

NANAEL

Simboliza el conocimiento y la inspiración.

Concede:

* Inspiración para el estudio de las ciencias.

* Inspiración en su trabajo
a magistrados y abogados.
* Conocimientos esotéricos trascendentes por
medio de la meditación.

NITHAEL

Simboliza escuchar y el equilibrio.

Concede:

* Misericordia divina y larga vida, feliz.
* Buena acogida a las demandas y peticiones
dirigidas a las Potencias, a los poderosos.
* Conservar lo que nos pertenece.
* Huida de ladrones.

MEBAHIAH

Simboliza la inspiración.

Concede:

* Tener hijos, si la pareja los desea.
* Posibilidad de llevar una vida
convencional y moral.
* Ayuda a la difusión de ideas religiosas
y espirituales.

POYOEL

Simboliza el saber y el poder.

Concede:

* Este ángel otorga todo lo que se le pide.

* Renombre, riqueza, saber,
conocimiento y poder.
* Expresarse bien.

LOS ARCÁNGELES

Planeta: Mercurio
Príncipe: Miguel
57 — Nemamiah
58 — Yeialel
59 — Harahel
60 — Mitzrael
61 — Umabel
62 — Iah-Hel
63 — Anauel
64 — Mehiel

Lo que son,
lo que le aportan a usted

NEMAMIAH
Simboliza la prosperidad.
Concede:
* Prosperidad en todo.

* Ser el jefe, el líder, en las luchas justas.
* Rápido avance en la carrera.

YEIALEL

Simboliza la curación y el combate.

Concede:

* Curación de todas las enfermedades (inclusive psicosomáticas).
* Combate la morosidad; aporta confortación en la pena.
* Confunde a los falsos testimonios y a quienes nos persiguen.

HARAEL

Simboliza la sabiduría.

Concede:

* Exito contra la esterilidad.
* Los hijos serán obedientes y sumisos a los padres.
* Descubrimiento de tesoros.
* Administración buena y sabia.

MITZRAEL

Simboliza la curación y la liberación.

Concede:

* Curación de enfermedades mentales.

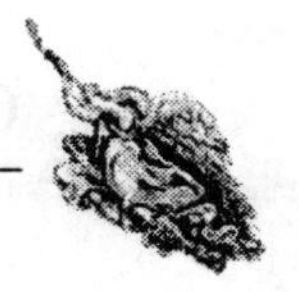

* Liberación de perseguidos.
* Fidelidad hacia los superiores.
* Gusto del servicio.

UMABEL

Simboliza la memoria y el desapego.

Concede:

* Lograr la amistad de una persona.
* Aprendizaje rápido de la física y de la astrología.
* Reconforta en las penas y en dolores de amor.

IAH-HEL

Simboliza la bondad.

Concede:

* La sapiencia, la sabiduría.
* Ayuda a encontrar un lugar tranquilo en donde meditar.
* Buen entendimiento de la pareja; amor, amistad, dicha.

ANAUEL

Simboliza el valor y la salud.

Concede:

* Orientación de las naciones hacia el cristianismo.

* Protección contra accidentes.
* Curación de enfermedades.
* Buena salud.
* Mucho valor.

MEHIEL

Simboliza la inspiración y la protección.

Concede:

* Protección contra los instintos y las fuerzas del infierno.
* Inspiración para escribir y difundir sus escritos.
* El conocimiento y la celebridad por la literatura.

LOS ÁNGELES

Planeta: la Luna
Príncipe: Gabriel
65 — Damabiah
66 — Manakel
67 — Ayael
68 — Habuhiah
69 — Rafael

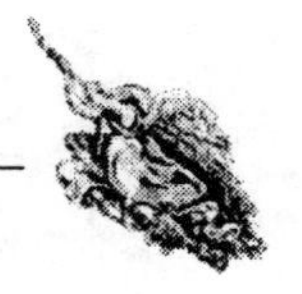

70 — Jamamiah
71 — Haiaiel
72 — Mumiah

Qué son, qué nos aportan

DAMABIAH

Simboliza el éxito y la protección.
Concede:
* Protección contra hechizos, sortilegios y maleficios.
* Protección contra naufragios (morales y materiales).
* Éxito en empresas útiles.

MANAKEL

Simboliza la liberación.
Concede:
* Apaciguamiento de la "cólera de Dios".
* Liberación de nuestros sentimientos de culpabilidad.
* Sueño fácil (ataca al insomnio).

AYAEL

Simboliza la comprensión y la reconfortación.

Concede:

* Consuelo en la adversidad.
* Sapiencia e iluminación de la Providencia.
* Comprehensión de la astrología y de la filosofía esotérica.

HABUHIAH

Simboliza la curación y la fecundidad.

Concede:

* Curación de todas las enfermedades.
* Buena salud.
* Fecundidad a las mujeres.
* Fertilización de tierras.
* Cosechas, recolecciones abundantes.

RAHAEL

Simboliza la búsqueda y la derechura.

Concede:

* Recuperación de objetos perdidos o robados (descubrimieno del ladrón).
* Renombre, fortuna, herencias, donaciones.
* Renombre en el medio judicial.

JABAMIAH

Simboliza la regeneración y la recuperación.

Concede:

* La fecundidad divina eterna e inagotable (conseguirla toda).
* Regeneración de artículos naturales corrompidos, corruptos.
* Recuperación de sus derechos o de sus funciones corporales.

HAIAIEL

Simboliza el valor y la paz.

Concede:

* Denunciar a los malvados, a los pícaros.
* Liberación de los opresores.
* Protección.
* Victoria.
* Paz.
* Valor en la lucha cotidiana.

MUMIAH

Simboliza la revelación y el objetivo por alcanzar.

Concede:

* Que toda experiencia llegue a su término, que alcance su objetivo.

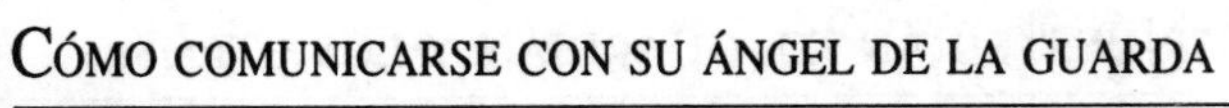

* Gran renombre en el mundo
de la medicina.
* Revelación de secretos de la naturaleza
que nos hacen felices.

Sus virtudes y sus poderes

En el cielo los ángeles no tienen nada de excepcional.

George Bernard Shaw

Cuando solicitemos la ayuda de un ángel, cuando nos dirijamos a él, cualquiera que sea, hagámoslo con plena confianza, como cuando nos dirigimos a un padre protector o a un amigo sincero; pronunciemos así su nombre sagrado y pronunciemos las palabras siguientes: "Señor, ángel (aquí pronunciemos su nombre), yo te invoco para exponerte, para darte a conocer mi problema y para que me aconsejes la mejor solución del mismo". Más adelante, en un capítulo particular veremos cómo condicionarnos y qué debemos hacer desde un punto de vista práctico para comunicarnos con los ángeles. Por lo pronto veamos algunas generalidades de interés.

Pero sobre todo, no olvidemos jamás: en cualquier circunstancia y sin importar el momento, podemos invocar a nuestro ángel guardián (el correspondiente a nuestra fecha de nacimiento).

Y en cualquier circunstancia y sin importar el momento puesto que está asignado a nosotros y porque nosotros estamos equilibrados en función de sus energías y porque sus energías están equilibradas en función de nosotros mismos y de lo que somos.

Obtendremos nuestras respuestas

El ángel que invoquemos nos proporcionará sin la menor duda la respuesta que estemos buscando, pero siempre y cuando él sepa que debamos conocer la respuesta y que tal cosa está al alcance de sus facultades y posibilidades. Ahora mismo, en tal caso, me imagino que usted está a punto de llegar a esta conclusión: no hay ninguna seguridad de que obtengamos una respuesta. Tal cosa es segura, sencillamente porque si el ángel guardián de usted no puede darle la respuesta que usted espera, no importa por qué razón, trasmitirá el ruego o la petición de usted a otro ángel que estará en condiciones de escuchar y atender vuestros deseos. En casos así, sin embargo, no siempre es posible que la respuesta venga de inmediato, pero habremos de mantener abiertos nuestros canales de comunicación por-

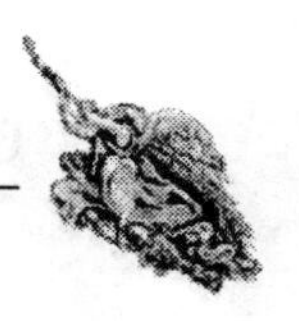

que tal cosa será necesaria para obtener esta respuesta más adelante.

Pero cuando menos puede llegar, en ciertos casos muy, muy particulares, como en el caso en que nuestro ángel juzgue que no debemos conocer, en el momento en que hagamos la petición, la respuesta a una cuestión precisa, que hacemos al mismo tiempo que conocemos un Melquisedec, un ángel que se dice que es azul, por razón de la visión que ofrece, debida a que su energía es azul —no se presenta bajo una forma humana, sino más bien como un haz azul. La presencia de un Melquisedec es siempre impresionante porque anuncia que estamos en un momento muy particular; anuncia que vivimos en una transición maravillosa y que si le es imposible comunicarnos de inmediato la respuesta deseada, no por ello dejaremos de vivir esta respuesta. Ha observado que tal cosa se produce especialmente cuando la respuesta pedida estaba por encima de las fuerzas del que la pedía; así pues, el Melquisedec se presenta de modo que nos transfiere las energías que requerimos para cruzar por una fase determinada.

Con frecuencia sucede, cuando cerramos los ojos y empezamos una meditación, que fulgores

azulados aparezcan ante nuestro espíritu, lo cual suele indicar la manifestación de un Melquisedec que de algún modo anuncia, que lo que nos está ocurriendo, en poco tiempo, probablemente resulte realidad. En este preciso momento, ante cualquier cuestión que podamos plantear, no obtendremos respuesta alguna, sino que más bien recibiremos lo que podría parecer una advertencia. En tal caso deberemos someternos a ella. De no hacerlo, las cosas sólo se empeorarían. La leyenda dice, por otra parte, que Adán y Eva habían pasado por alto, se habían desentendido de otras advertencias de un Melquisedec. Esto es también debido a no haber escuchado las advertencias de un Melquisedec que Lucifer hubiera ya destronado. En la Biblia se encuentran otros muchos ejemplos similares.

Pero volviendo a nuestro tema, diremos que cuando se manifiestan los Melquisedecs, siempre es para anunciar que en nuestra vida se va a producir un cambio muy grande. En verdad, esto anuncia casi indefectiblemente momentos difíciles pero, por fortuna, los Melquisedecs nos dan la energía necesaria para cruzar por entre las pruebas o para superar los desafíos, las pruebas a que nos hemos enfrentado.

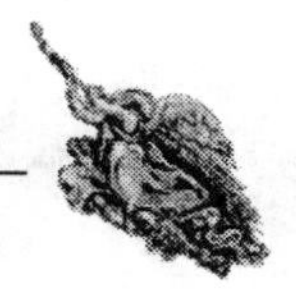

Todo esto indica que no hay necesidad de invocar a los Melquisedecs, pues se manifiestan por sí mismos cuando la situación lo exige.

Mantenerse alerta

Entonces, ¿a quien debemos invocar? Evidentemente podremos invocar a nuestro ángel guardián, o al ángel del día o de la hora, o inclusive, invocar directamente a Metatrón, si bien, este ángel, por razón misma de su función puede no estar disponible. Sin embargo, todos los otros príncipes de los ángeles pueden ser igualmente invocados en cualquier momento porque son los ángeles-príncipes que rigen a los otros ángeles. Si, además, es el día de ese ángel, nos veremos alineados directamente conforme a sus energías.

Además, sea preciso en relación con el plano de energías que llame, del ángel que invoque, pues la respuesta pedida va a llegar rápida y claramente, sin interferencia alguna. En estos casos, resulta excelente tener a la mano este libro para consultar la nomenclatura completa de los 72 ángeles, de lo que simbolizan y en lo que nos pueden ayudar. Así pues, con toda esta información, podremos enviar una invocación al ángel que rige muy precisamente la cuestión o problema que nos esté preocupando. El punto en verdad interesante es, como ya lo dije y como ahora mismo repito, porque se trata de algo en verdad esencial que basta con pedir algo a un ángel para obtener una respuesta, una respuesta positiva.

Después... después, eso depende exclusivamente de cada uno de nosotros. Es necesario oír la respuesta, sin duda, pero también saberla escuchar, comprenderla, sentirla, experimentarla. Vivirla junto con los empeños de nuestro corazón. Si no la recibimos y no buscamos vivirla con algo más que nuestro intelecto, correremos el riesgo de que nada ocurra en el terreno de la "concretización" y de la verdadera evolución.

Saberse proteger

Veces hay en que las cosas no ocurren con tanta facilidad y entonces nos encontramos de golpe ante una entidad de la que no conocemos ni el nombre, ni la fuente, ni principalmente sus intenciones. Para prevenirnos contra tales intervenciones es recomendable que antes de for-

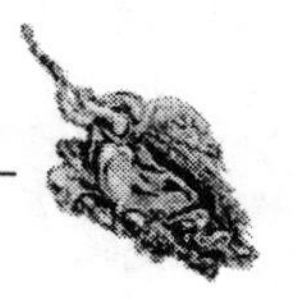

mular cada invocación pronunciemos la frase siguiente:

QUE DOICH QUE DOICH QUE DOICH,
ADONAI SEBAYOT.
Santo, santo, santo, es el Sebayot eterno
(uno de los nombres utilizados
para significar Dios)
que la Majestad del Eterno
descienda en su morada.

Gracias a estas palabras sagradas, toda entidad de la cual no sepamos ni su fuente ni sus intenciones estará obligada a revelar su verdadera naturaleza y desaparecer si sus intenciones pueden resultarnos nocivas; en caso contrario, si estas intenciones pueden resultarnos provechosas, benéficas, la entidad seguirá estando presente y podrá comunicarse con nosotros. Se ha observado que cuando este fenómeno se producía, la entidad, cualquiera que fuese, daba siempre la misma respuesta, por ejemplo, la siguiente:

BAROUCH, EBOD YOD HE VA HE MINE KOMO,
ALLELUIAH.

Eventual, aunque raramente, si una entidad guarda silencio —pero si no desaparece— tal cosa significa que la entidad en cuestión no puede respondernos porque no tiene la referencia a este encantamiento.

Entonces bastará dar a conocer la razón que justifique esta frase, es decir que hemos mencionado el nombre de Dios, para asegurarnos de que sus intenciones eran buenas. Si la entidad alienta malas intenciones desaparecerá, pero si la animan buenas intenciones probablemente se ponga en marcha la "comunicación".

Si pese a todo, seguimos teniendo un mal presentimiento, no corramos ningún riesgo. Debemos rezar con convicción el Padre Nuestro, que en cierta forma es un arma muy poderosa a la cual no puede resistir ninguna entidad malvada. Pero, yo insisto, debe decirse con convicción, y no decirlo simplemente pensando en otra cosa, pues en tal caso no tendría fuerza alguna. Por otra parte, esto es aplicable a las invocaciones que deben pronunciarse, también con una buena dosis de convicción, de confianza, de fe. No hay que olvidarse de que se trata de palabras sagradas, de invocaciones sagradas, las que, con frecuencia, pierden toda su fuerza porque quien las

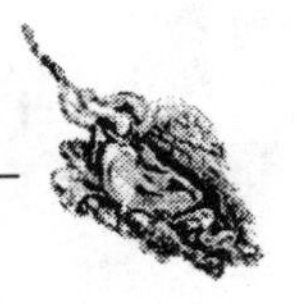

dice no se consagra suficientemente a lo que está diciendo. En tales circunstancias, puede muy bien ocurrir que no nos encontremos en el momento o en la situación apropiada. De ocurrir esto, será preferible esperar al día siguiente para hacer la invocación.

En otras palabras, términos claros: no pierda usted su tiempo haciendo algo en que no cree a lo que no puede dedicar suficiente tiempo.

Dicho lo cual, observamos que las entidades negativas son más bien raras y que su existencia no debe impedirnos comunicarnos con nuestro ángel guardián, o con ningún otro ángel planetario, no importa cuál sea.

Debemos saber

El aspecto de los ángeles, un eunuco alado, no es otra cosa que una forma a la que nosotros, los hombres, de todos los tiempos, le hemos atribuido nuestra representación. Hemos visto, además, que esto se remonta a varios cientos de años antes de Cristo. La realidad es que, dado que los ángeles son almas no encarnadas, tienen una apariencia de luz, de luz deslumbradora. Sin

embargo, no se pueden presentar ante nosotros con esta apariencia o aspecto porque su sola claridad nos cegaría, por lo que en cierta forma se ven obligados a plegarse a nuestra realidad, y entonces, cuando se nos aparecen, nada tiene de extraño que los veamos, que sean como los imaginamos.

Cuando se llame a nuestro ángel guardián pronunciando, entonando su encantamiento (en el capítulo siguiente sugerimos algunos) no será cosa rara pasmarnos al oír su respuesta que en ocasiones parece venir de muy lejos, o que, igualmente se manifiesta por una vibración que se percibe en el plano físico. Todo el "cómo" encontrar a nuestro ángel guardián será explicado un poco más adelante, si bien conviene que ahora mismo nos volvamos parte de algunos fenómenos susceptibles de manifestarse:

* Así, cuando un ángel se nos aparezca, aun en el caso de que trate de moverse sin asustarnos o espantarnos, no se asombre usted si en ocasiones se siente enloquecer, o cuando menos se pasma.

* Cuídese siempre del espíritu, simplemente porque usted no sabe dónde y cuándo podrá pre-

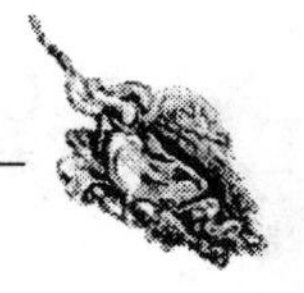

sentarse; tal cosa puede ocurrir en sitios tan incongruentes, tan impensables como el armario.

* Cuando pronuncie un hechizo o encantamiento, cuando le ruegue a su ángel que se le aparezca, prepárese a sentir, a experimentar las energías nuevas, que lo rodearán, a ver aparecer luces y colores. Su ángel se le puede manifestar con la apariencia o aspecto que él quiera. Nunca olvide que los ángeles no pueden negarse a manifestarse cuando se les pide, salvo en las circunstancias mencionadas más adelante y donde entonces se producirá otro fenómeno.

* Si crea un encantamiento en un lugar habitado por pensamientos negativos, si alguien se ha entregado a la práctica de la magia negra, si ciertas entidades "habitan" este lugar por una u otra razón, observe todo aquello que produce acontecimientos perturbadores, tales como puertas que se abren y se cierran, cortinillas que se levantan solas, luces que parpadean o pestañean, o inclusive un cuadro que se descuadra. ¿Por qué razón se producen tales cosas? En verdad, la invocación de un ángel, de un dios, molesta, ahuyenta a estos seres negativos y los obliga a irse a otra parte, si bien tal cosa la hacen dejando sentir su descontento. Sin duda, después de una primera

sesión, estas entidades habrán desaparecido para siempre.

* Dice usted, y con razón, que los vivos son mucho más peligrosos que los muertos; ninguna forma de energía negativa, cualquiera que sea, nos podrá alcanzar físicamente sin nuestro consentimiento. Pueden manifestarse con certeza, dejarse ver, insinuar varias "sugestiones" o "sugerencias", pero todo ello pasa sobre el plano mental, no sobre el plano físico. Por consiguiente, no hay el menor riesgo de una hernia o lesión física. En verdad, ciertas sugerencias provenientes de estas fuerzas negativas pueden llegar a ser perturbadoras. En tal caso le sugiero a usted apelar a la ayuda, por su nombre, de su ángel guardián: él lo protegerá.

Invocaciones para pedir ayuda

Hay cuatro monedas en mi lecho,
Hay cuatro ángeles en mi cabecera,
Mateo, Marcos, Lucas y Juan,
Bendecid el lecho en que duermo.

UNA ORACIÓN DE NIÑOS

Ahora ya sabe usted todo lo que se necesita saber para comunicarse con un ángel guardián o con cualquier otro ángel. Pero antes de pasar directamente a lo que podríamos llamar el "cómo hacerlo", voy a entregarle algunas invocaciones —sepa usted que la palabra invocación significa llamar en su ayuda a fuerzas superiores: Dios y los ángeles.

El libro egipcio de los muertos, por principio de cuentas, afirma que el ser humano puede entrar en relación con los Dioses (a su modo, los ángeles lo son), por el simple hecho de dirigirles plegarias e invocaciones. Este mismo indicio se presenta, por otra parte, de un modo en verdad claro, en todo lo que recibe el nombre de Textos sagrados de la humanidad, sean los Vedas hindúes, los oráculos caldeos, o inclusive nuestra propia Biblia. Por otra parte, el sueño del patriar-

ca Jacob, que se encuentra en las páginas de la Biblia, confirma esta hipótesis de la escalera que une la tierra con el cielo y por medio de la cual los ángeles suben y bajan para conocer los deseos y las esperanzas de los hombres y —muy principalmente— para hacer que se realicen. Al despertar, Jacob pronunciará las siguientes palabras que se encuentran en el Génesis, XXVIII,: "Si en verdad Dios me protege y me inunda de alimento, de vestido y de bienes, entonces yo no serviría a ningún otro Dios, y le pagaría el diezmo de todas mis riquezas". Esto indica con toda claridad y sin la menor sombra de duda que las "peticiones" o "demandas" dirigidas a los ángeles son siempre escuchadas; inclusive aquellas que pueden relacionarse con necesidades tales como la salud, el bienestar o la riqueza material.

Destinatarios precisos

Estas peticiones, estas súplicas de deseos por realizar —en verdad son una súplica, tal vez una petición—, de hombres, de seres humanos son tan numerosas y tan complejas que con frecuencia parecen más bien una reacción a cuidados,

zozobras e inquietudes, a miedos, a esperanzas y a otros cuidados de la existencia, esperanzas y anhelos. Sin embargo, es preciso admitir plenamente, sobre todo cuando estamos frente a una experiencia primera, que puede en verdad resultar muy difícil dirigirse a una presencia divina, invisible, a la bienvenida de los ángeles. Ésta es la razón que explica por qué ciertos ruegos u oraciones contienen palabras mágicas que van más allá de la comprensión lógica, no con el fin de constreñir, de obligar a los ángeles a ajustarse a nuestro paso, sino más bien con el fin de expresar nuestro deseo profundo de ser ayudados, socorridos, orientados por seres invisibles, ciertamente mucho más grandes que nosotros, en el sentido más noble del término.

Estas demandas o peticiones particulares reciben el nombre de "encantamientos", hechizos; deben ser meditadas, pronunciadas con convicción, con fe. Además, usted no tardará en constatar, cuando se trate de las primeras experiencias de usted tenidas en este terreno, que un buen número de respuestas y soluciones —muchas ideas— le parecerán ya vistas con su ángel guardián o el príncipe angélico de la Jornada terminada.

No importa dónde se hagan las invocaciones; también puede resultar preferible escoger un sitio que siempre será el mismo, y a donde, siempre, retornaremos para comunicarnos con nuestro ángel guardián o no importa que sea otro ángel. No es necesario que esto sea un lugar, un sitio "reservado" puede ser un rincón del comedor, o del cuarto dormitorio, o no importa qué cuarto o pieza de la casa.

En seguida ofrecemos varias invocaciones que pueden ser dirigidas a los ángeles príncipes; sin duda nos podrán inspirar en cuanto a las que usted quisiera crear para invocar a su ángel guardián. En seguida podrá formular la petición que le interese, es decir, la cuestión respecto a la cual usted anhela hallar una solución.

Para dirigirnos a Metatrón:

Te invocamos Metatrón,
Príncipe de las energías del Universo,
Rey de Kether, Fuente de Vida,
para que tú derrames sobre nosotros la
Voluntad necesaria
para nuestra vida y para nuestra obra.

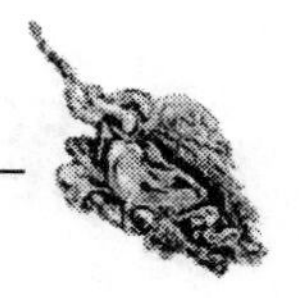

Para dirigirnos a Raziel:

Te invocamos, oh Raziel,
regente del centro del Amor supremo llamado
Hockman.
Inúndanos de este Amor que debe permitirnos
a todos amar de conformidad con la igualdad
sin que se formen sedimentos en
nuestros interiores,
pudiendo hacer lugar para las pasiones.

Para dirigirnos a Safkiel:

Te invocamos Safkiel,
para que los Tronos pongan en nosotros
la inteligencia práctica y penetrante
de Binah-Saturno que nos permitirá
comprender
el misterio y comunicarlo.

Para dirigirnos a Sadkiel:

Te invocamos Sadkiel.
Otórganos el poder de organizar el mundo
con justicia y los medios materiales
para llevar a bien nuestra existencia.

Para dirigirnos a Camael:

Te invocamos Camael.
Danos el valor necesario para
expulsar el error, y así poder retornar
a la espiritualidad,
si los avatares de la vida nos separan,
nos apartan.

Para dirigirnos a Rafael:

Te invocamos Rafael,
para que establezcas en nuestra conciencia
valores eternos,
firmes y definitivos.

Para dirigirnos a Haniel:

Te invocamos Haniel,
para que nos otorgues el don del Arte y
de la Belleza,
a fin de que nuestro mensaje agrade
a quienes se acerquen a nosotros.

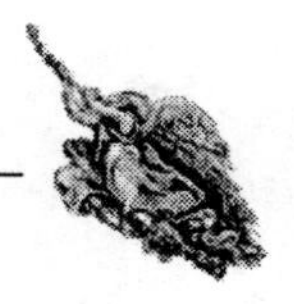

Para dirigirnos a Miguel:

Te invocamos Miguel,
para que los Arcángeles de Hod-Mercurio
irriguen nuestra mentalidad
con el pensamiento divino.

Para dirigirnos a Gabriel:

Te invocamos Gabriel,
para que la Bondad se pueda
manifestar en todos
nuestros actos.

Cómo establecer el contacto

Si, en verdad, Dios me protege llenándome de
alimento, de vestimenta y de bienes,
por ello ya no serviré a otro Dios
y le pagaré el diezmo de todas mis riquezas.

JACOB, GÉNESIS, XXVIII

Llegamos ahora a la parte que con toda seguridad nos interesará más, es decir, a la que podríamos considerar "el cómo", medio práctico para llamar al ángel guardián de usted, o a otro ángel, a un encuentro ocasional. Usted lo constatará rápidamente; el mecanismo es en verdad simple y sobre todo consiste en una forma o modo de prepararse tanto psíquica como psicológicamente, y de instalarse con toda comodidad.

Póngase a gusto y relajado

Lo primero, lo esencial es hallarse, estar en un sitio o lugar calmado, un poco retirado, donde tengamos la certeza de no ser molestados, importunados. También podemos poner una música

dulce, a poco volumen, o instalarnos en el silencio si tenemos el privilegio de aprovechar un sonido o ruido de fondo agradable, por ejemplo, el roce de las hojas de los árboles y hasta el trinar de los pájaros. Esto tiene por finalidad ayudarnos a equilibrar las vibraciones. Igualmente se podrá quemar incienso, lo cual puede ser magnífico, cuando invoquemos un príncipe angélico, un Arcángel o un ángel; el incienso será de loto, de sándalo o de jazmín, si bien, cuando queramos hacer una petición muy particular, el incienso de loto es indudablemente el mejor porque nos permite alcanzar inmediatamente los planos etéreos más elevados. En seguida encenderemos una vela pequeña, de preferencia de color azul o lavanda, o también blanca.

En seguida, será necesario intalarnos cómodamente, es decir, sentarnos o tendernos, según nuestra preferencia, de modo de sentirnos lo más sueltos posible —yo, por ejemplo, no cruzo ni los brazos ni las piernas y además coloco las manos a cada lado, con el fin de poder sentir, percibir las energías emitidas por el ángel que estemos por invocar y que se pueden manifestar por una "conversación" e inclusive, con el tiempo, por una aparición.

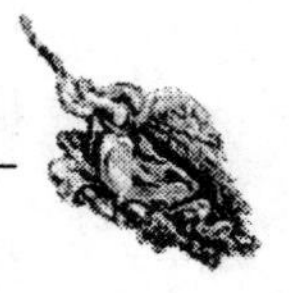

En fin, cuando nos sintamos preparados, concentrémonos en la música, o bien pronunciemos su mantra; nos fijamos en la vela y en el humo del incienso que hemos encendido. Es preciso separarnos del espacio físico en que estamos. Cerremos los ojos sin crisparlos, y dejemos desfilar las imágenes mentales que pueden aparecer sin por ello fijarnos en una de ellas. Empezaremos a concentrarnos cuando empecemos a ver aparecer colores, tal vez no importe gran cosa el color; inclusive es muy probable que el primer color que aparezca sea el de nuestra aura, y también el color vinculado, relacionado con nuestra actividad presente. Si trabajamos en comunicaciones puede ser el azul; el amarillo si trabajamos en el plano de la conciencia; el anaranjado, si trabajamos en el plano de la creatividad; el verde si trabajamos en el plano de los sentimientos, de las emociones, del corazón; pero si trabajamos en el plano del altruismo y de la conciencia integrada, será el índigo; si trabajamos en el plano espiritual, serán el violeta y el lavanda. Si el rojo aparece, ello será porque usted está muy unido a la tierra y que usted tiene más necesidad que otros, al menos en este momento de su vida,

de su dimensión terrestre y física. Sin embargo, usted lo notará al final de las sesiones, que los colores variaron en función de los intereses de usted y de sus preocupaciones.

Llamando al ángel

Una vez bien instalado, cuando se sienta muy a gusto —por lo general se necesitan de cuatro a cinco minutos—, tal vez podamos empezar a llamar al ángel guardián, pronunciando su nombre: nosotros le pedimos tener acceso a él y de manifestarse "aquí y ahora conmigo", y pronunciamos nuestro nombre. Tomemos por ejemplo un nombre ficticio: Madeleine Haineault; esta persona diría así: "Pido aquí y ahora al ángel (dice usted el nombre del ángel que usted quiere ver que se manifieste) estar presente aquí, conmigo, Madeleine Haineault". Entonces se percibirá la energía de instalarse.

Al punto usted formula su petición o aquella a la que usted quiere que le conteste el ángel. Es muy importante que la petición de usted haya sido formulada con toda claridad y que no vaya contra nadie. Por ejemplo, usted no tiene el de-

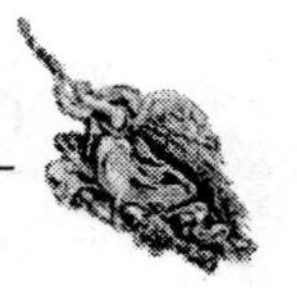

recho de pedir lo que pertenece a otra persona, pero sí tiene usted el derecho a demandar al universo y al ángel al cual usted se dirige, pero le está prohibido privar a alguien de cualquier cosa que le pertenezca. Sin embargo, habitualmente cuando hacemos una petición a nuestro ángel guardián, es con el objeto de abordar con él cuestiones más importantes, respuestas a interrogantes interiores, información sobre el camino a seguir; es sobre estas cuestiones que se reciben más respuestas.

Pero seamos claros, el uno no impide siempre al otro.

Si a nuestro ángel le pedimos cosas materiales, las podrá obtener si tal cosa no va contra la forma en que vivimos actualmente; de otra suerte, nuestro ángel nos explicará la o las razones que le impiden acceder a nuestra demanda.

Sea usted claro, preciso

Advertencia: en sus demandas no use términos como "yo desearía", "yo querría", "sería muy divertido" o "sería interesante que". Es preciso ser más claro, más afirmativo y decir:

"Necesito..." Si no lo necesitamos, no lo obtendremos, pero si nada nos impide tenerlo, lo obtendremos. Pero jamás muestre vacilación. Hay encantamientos diferentes para ángeles diferentes. Le he presentado los que pueden servir para dirigirse a ángeles príncipes, pero algún día le ofreceré una colección de los hechizos, de los encantamientos para cada uno de los ángeles.

Recuerde usted que cuando pronunciamos un encantamiento, es necesario pedir a nuestro ángel guardián que se manifieste y que se haga más y más presente con nosotros a fin de que nos abra las vías que llevan a las cosas con las que debemos vivir y comprender. También le podremos decir, más sencillamente: "Yo creo que mi necesidad es ésta, en este momento; si te place, acláramelo para saber así si mi necesidad es como la veo en este momento. Si no, muéstrame las otras vías que puedo tomar". De este modo obtendremos respuestas más claras, más netas, respuestas a propósito de las cuales no necesitaremos plantear mil interrogantes para interpretarlas y comprenderlas.

Pero también es necesario darle el tiempo de actuar; como usted comprenderá, las demoras en

la concretización pueden variar según el género de petición o demanda que formulemos.

Si ponemos en práctica las recomendaciones presentadas en este libro, muy pronto comprobaremos que pedir algo a nuestro ángel guardián es muy simple. Así están las cosas; entonces ¿qué necesidad tenemos de complicarnos la vida?

Ciertamente hay otros métodos más complejos, que usted podría utilizar manuales de oraciones y súplicas, de encantamientos especializados, todo lo cual es a su conveniencia, a sus creencias, a sus deseos. Con todo, recuerde que los ángeles están "a la disposición" de quien presente la petición; todos tenemos un ángel guardián. Y, en cierta forma, llamar a nuestro ángel para que nos ayude, en lo que sea, es una cosa natural sencillamente porque ése es el trabajo que Dios les ha encomendado a sus ángeles: secundarnos, apoyarnos, ayudarnos a vivir mejor.

Esta obra se terminó de imprimir
en febrero de 1999 en
Litofasesa, S.A. de C.V.
Tlatenco núm. 35
Santa Catarina
Azcapotzalco, México, D.F.

La edición consta de 3,000